国家出版基金项目
NATIONAL PUBLICATION FOUNDATION

《三联经典文库》

第二辑

2012年国家出版基金项目

三联经典文库

129

太平洋现势手册

沈志远　石啸冲　编著

生活·讀書·新知 三联书店

图书在版编目(CIP)数据

太平洋现势手册 / 沈志远, 石啸冲编著. -- 北京：生活·读书·新知三联书店, 2014.1
（三联经典文库第二辑）
ISBN 978-7-108-04654-3

Ⅰ.①太… Ⅱ.①沈… ②石… Ⅲ.①国际形势－研究－亚洲－20世纪②国际政治关系－研究－亚太地区－20世纪
Ⅳ.①D730.0②D830.9

中国版本图书馆CIP数据核字(2013)第246802号

129 太平洋现势手册

责任编辑　胡群英
封扉设计　蔡立国
责任印制　李思佳
出版发行　生活·讀書·新知 三联书店
(北京市东城区美术馆东街22号)
邮　　编　100010
经　　销　新华书店
印　　刷　北京市松源印刷有限公司
版　　次　2014年1月北京第1版　2014年1月北京第1次印刷
开　　本　787毫米×1092毫米 1/32　印张 9.75
字　　数　136千字
定　　价　36.00元

《三联经典文库》出版缘起

适逢生活·读书·新知三联书店八十华诞，为弘扬传统，接续文脉，回报读者，服务社会，我们决定策划出版《三联经典文库》。

1932年7月，生活书店在上海创办，此后，读书出版社和新知书店相继成立。本文库第一辑、第二辑所选图书，来自于这三家出版单位及其分支机构，以及1948年生活·读书·新知三联书店成立后的出版物，始于1932年，截至1951年，两辑各一百种。此为第二辑，涉及政治、经济、社会、军事、思想文化诸领域，涵盖专著、文集、散文、小说、诗歌、传记、报道等体裁，既有直面现实、追求真理、讴歌真善美、抨击假恶丑的原创作品，又有引介世界各国先进文化、传播新知、开启民智的迻译之作，真实记录了那一代知识分子的思考与探索、理想与愿景和对中华民族文化传承与创新所做出的努力与贡献。

本文库所辑入各书，多为名家名作，在版本方面，以初版一印本或经著译编者审定、修订、增订过的版本为首选，因此本文库又具有较为珍贵的版本价值和收藏价值。

本文库还将编选续辑，使之成为恢弘文化工程。诚挚希望读者给予批评和指正，帮助我们完善编选工作，再现三联经典作品之风采。殊为遗憾的是，由于年代久远，一些原著译编者及其后人未能取得联系并奉付稿酬，诚盼版权所有者与我们联系。祈愿三联前辈所创造的精神财富能薪火相传，为中华文化的伟大复兴增光添彩。

《三联经典文库》编辑委员会

2013 年 8 月

凡　例

一、本文库为重排本，由繁体字竖排版改为简体字横排版。

一、以忠实于原作、整旧如旧为编辑原则，对当时使用的专有名词、外文译名，以及民国时期的语言和特色予以保留。

一、原书注释如旧，编者所出的注释，均以“编者注”标明，以示与原书注释的区别。

一、对原书残缺或字迹漫漶之处，以□示代。

一、对繁简文本转换时的“如右”、“见左”一类，对应改为“如上（前）”、“见下（后）”。

一、对原书中各种错讹脱衍之处，直接订正，不再以其他符号标示。

一、对数字、标点符号的用法，在不损害原文语义的情况下，做必要的规范。

一、本文库各书均前插原书书影、原书版权页和文库版“本书出版说明”。

一、本书出版说明的撰写，以客观中立为原则，扼要介绍本书的内容、版本流转、著译编者的情况。

本书出版说明

本书由沈志远和石啸冲两人合作编著，主要以太平洋地区为着眼点，叙述了太平洋地区的地理形势、战略形势、政治形势、经济关系等等，尤其着重分析了太平洋战争前夜的形式、战争的原因、战争的现势与战争的展望等。全书主要陈述客观事实，尽量减少主观的评论，虽囿于篇幅的严格限制，很多内容只能择要简述，甚至略而不述，仍尽力呈现了太平洋战争总反攻之前的整个地区现势，对于关心太平洋问题和一般国际问题的青年读者有相当的帮助。

本书由读书出版社于 1934 年在上海初版，后于 1944 年 10 月重庆初版，1945 年上海再版。此次出版，即以 1945 年上海再版为底本。

沈志远（1902-1965），原名沈会春，曾用名沈观澜、沈任重、王剑秋。浙江萧山人。早年考入上海交通大学附属中学，后任教于松江景贤女中。1925 年，加入中国共产党，后进入莫斯科中山大学学习。1931 年底回国，曾担任社会科学家联盟（社联）常委。1930 年代，先后在上海暨南大学、北平大学（今北京大学）法商学院、西北大学任教授，同时从事马克思主义政治经济学和哲学的著述和翻译。1938 年，在重庆担任生活书店总编辑。1949 年后，历任中央人民政府教育委员会委员、出版总署编译局局长、中国科学院上海经济研究所筹备主任、上海社会科学院经济研究所研究员、全国政协委员等。著有《新经济学大纲》、《现代哲学的基本问题》、《黑格尔与辩证法》、《计划经济学大纲》、《近代经济学说史纲要》和《雇佣劳动与资本》等。

石啸冲，生卒年不详。1946 年任上海武训学校副校长。1952 年任职于华东师范大学工会委员会、校刊编辑委员会。1980 年代任上海市政治学会副会长、会长。经常给《世界知识》供稿，著有《欧洲反法西斯的民主运动》、《新南斯拉夫》、《东南欧新民主国家史纲》、《怎样研究国际问题》，《历史转变的年代》、《印度民族解放运动史》、《国际常识小辞典》（合编）、《东风压倒西风》等。

生活 · 读书 · 新知三联书店

2013 年 8 月

读书出版社 1945 年 12 月再版书影

民國三十三年十月初版（渝）
民國三十四年十二月再版（滬）

太平洋現勢手冊

編著者　沈志遠　石嘯冲
發行者　讀書出版社
重慶民生路七十三號
上海靜安寺路斜橋弄七一號
分發行處　聯營書店
重慶林森路
成都祠堂街
西安南院門
漢口交通路廿四號
經售處　全國各大書局
定價　每册實價　元

原书版权页

目次

编者序　7

第一章　太平洋形势概述　9

一　地理形势的轮廓　9

二　太平洋国际形势发展的两个时期　10

三　现世纪太平洋形势发展的几个阶段　12

四　太平洋战争两年来的战略形势　16

第二章　太平洋的地理形势　23

第三章　太平洋上的战略据点　32

一　日本的战略据点　32

二　美国的战略据点　36

三　英国的战略据点　41

第四章　太平洋的经济资源　46

第五章　太平洋的民族与民族问题　56

一　民族与种族　56

二　民族问题　61

第六章　太平洋的民族革命运动史　67

一　朝鲜民族的革命运动　67

二　台湾同胞的革命运动　77

三　越南民族的革命运动　86

四　菲律宾人民的革命运动　95

五　爪哇人民的革命运动　107

六　中华民族的革命运动　117

第七章　环绕太平洋的国家　128

一　独立国　128

二　殖民地与自治领　157

第八章　太平洋的国际政治关系　173

一　太平洋初期的国际关系　173

二　日俄、英俄、日美的对立　175

三　日美在太平洋上的斗争　178

四　英日的关系　181
五　日苏的对立　185

第九章　太平洋的国际经济关系　189
一　市场贸易关系　192
二　投资关系　204
三　原料的争夺战　209

第十章　太平洋战争之由来　214
一　太平洋列强的主要政策　214
二　太平洋大战前的一般形势　223
三　太平洋战争的直接肇因　229

第十一章　太平洋战争之现势与展望　237
一　第一阶段战争的经过　238
二　第二阶段战争的发展　248
三　太平洋战争的现阶段　257
四　太平洋战争的展望　266

第十二章　二十世纪太平洋的重要条约与宣言
（由一九〇二年至一九四三年）　270
一《英日同盟条约》（一九〇二年）　270

二　日俄《朴资茅斯条约》（一九〇五年）　271
三　二十一条件（一九一五年）　272
四　《九国公约》（一九二二年）　273
五　《华盛顿海军公约》（一九二二年）　274
六　华盛顿《四国公约》（一九二一年）　275
七　《伦敦海军公约》（一九三〇年）　276
八　《德意日军事协定》（一九四〇年）　277
九　《苏日中立条约》（一九四一年）　277
十　《联合国宣言》（一九四二年）　279
十一　《四国联合宣言》（一九四三年）　280
十二　《开罗公报》（一九四三年）　282

附录　太平洋大事年表（由一五一〇年至一九四三年）　284

插图目次

太平洋形势全图　1
太平洋战略据点图　2
太平洋经济资源图　3
太平洋战争第一阶段军事形势图　4
太平洋战争第二阶段军事形势图　5
太平洋战争现阶段军事形势图　6

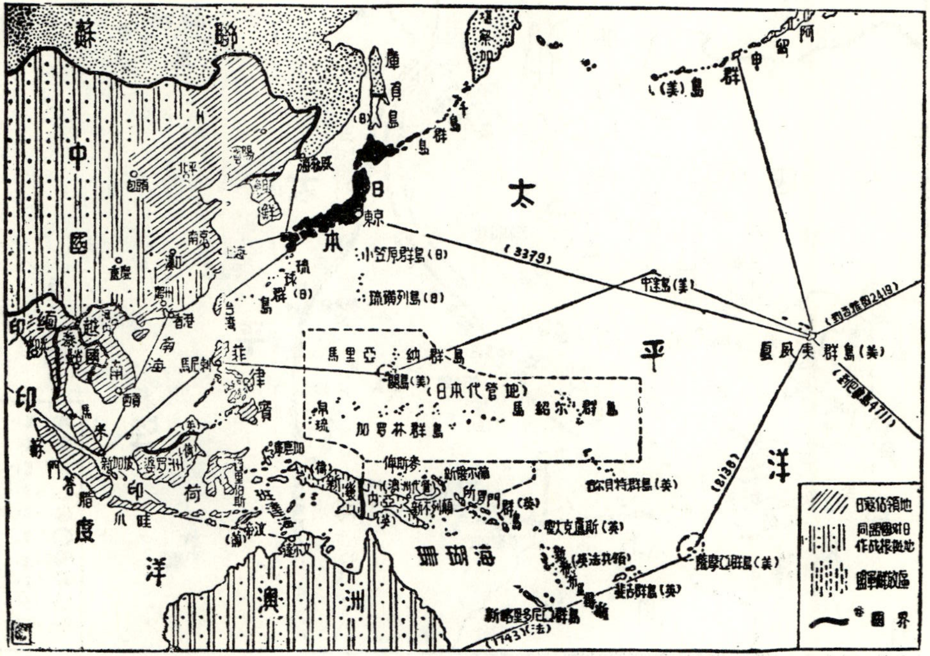

苏联
中国
日本
东京
太平洋
小笠原群岛（日）
琉球群岛（日）
中途岛（美）
马里亚纳群岛
关岛（美）
日本代管地
马绍尔群岛
加罗林群岛
夏威夷群岛（美）
菲律宾
南海
香港
上海
台湾
海参崴
朝鲜
北平
南京
重庆
印度
印度洋
新加坡
荷印
爪哇
澳洲
珊瑚海
萨摩亚群岛（美）
斐济群岛（英）
新喀里多尼亚群岛
（3379）
（8136）
（1743）（法）
日寇占领地
同盟国对日作战根据地
国界

太平洋形势全图

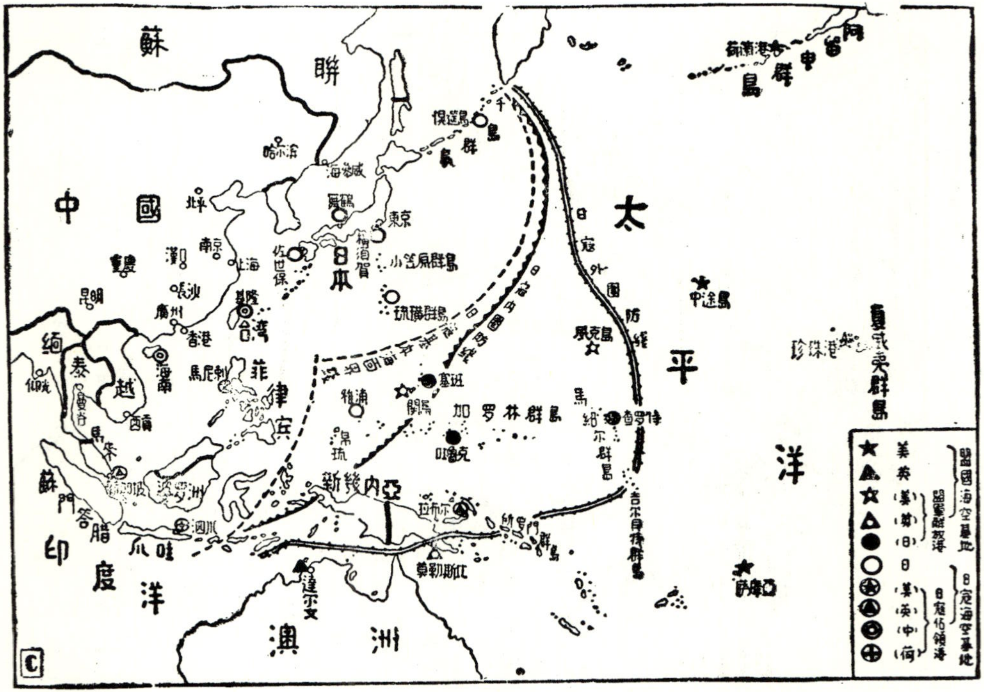
蘇
聯
中國
日本
太
平
洋
印
度
洋
澳
洲
東京
南京
上海
重慶
香港
台湾
海南
菲
律
宾
越
泰
新幾内亞
加罗林群島
小笠原群島
中途島
珍珠港
阿留申群島
千島群島

太平洋战略据点图

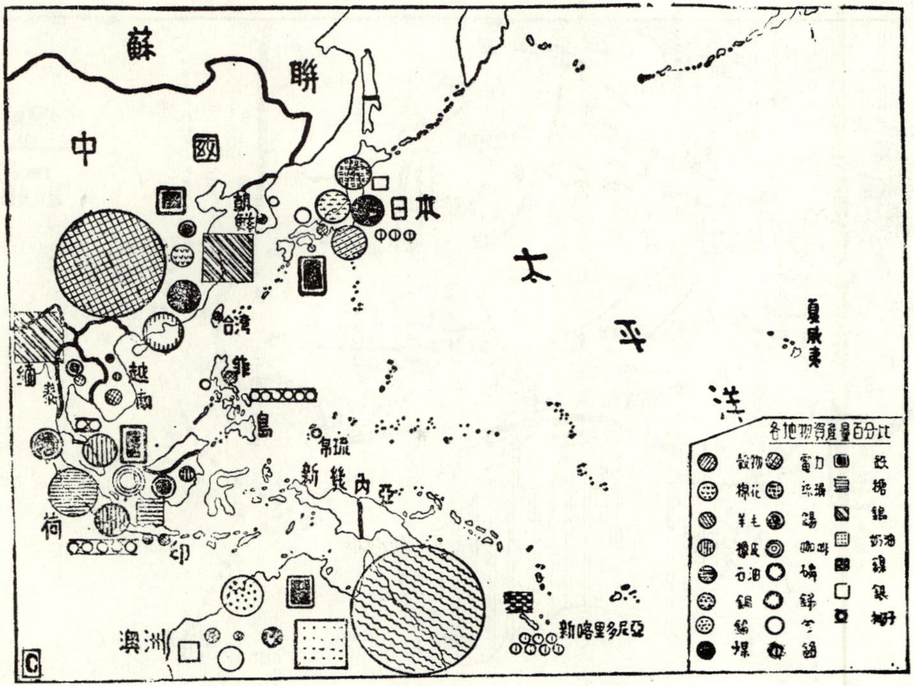
蘇聯
中國
日本
朝鮮
台灣
菲島
越南
緬
泰
荷
印
新幾內亞
新喀里多尼亞
澳洲
太平洋
夏威夷
各地物資產量百分比
穀物
棉花
羊毛
橡皮
石油
銅
鉛
煤
電力
錫
咖啡
鐵
糖
鎳
銀

太平洋经济资源图

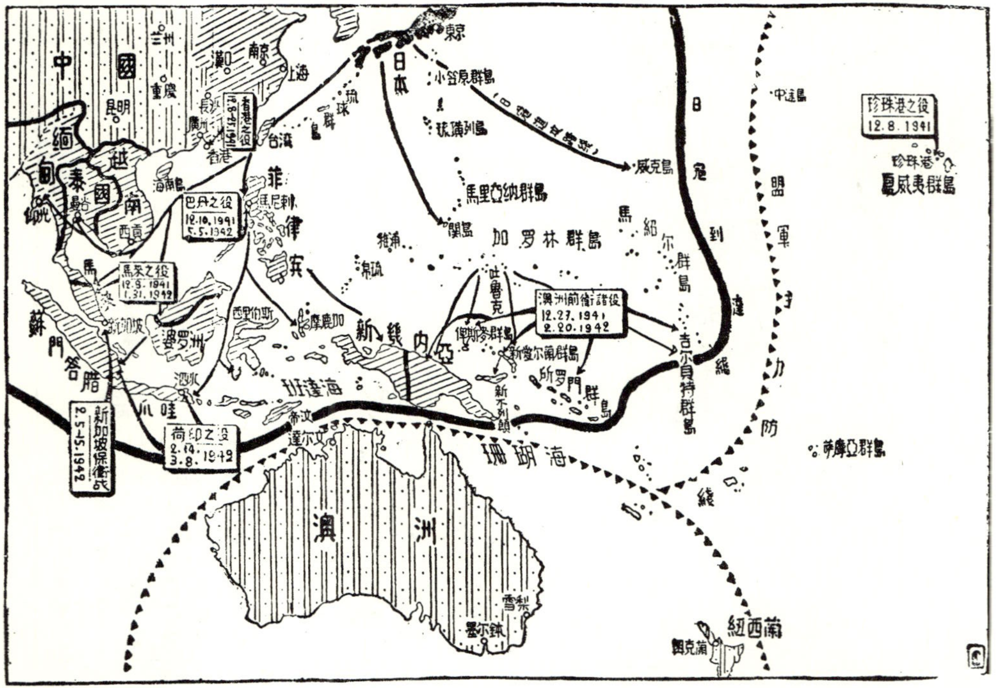

太平洋战争第一阶段军事形势图

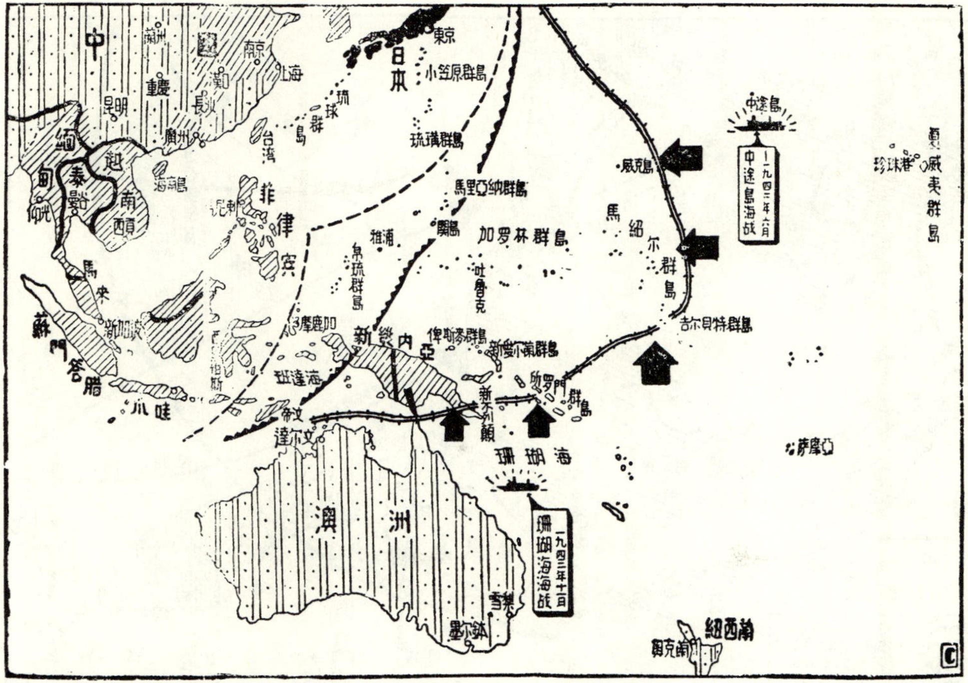

太平洋战争第二阶段军事形势图

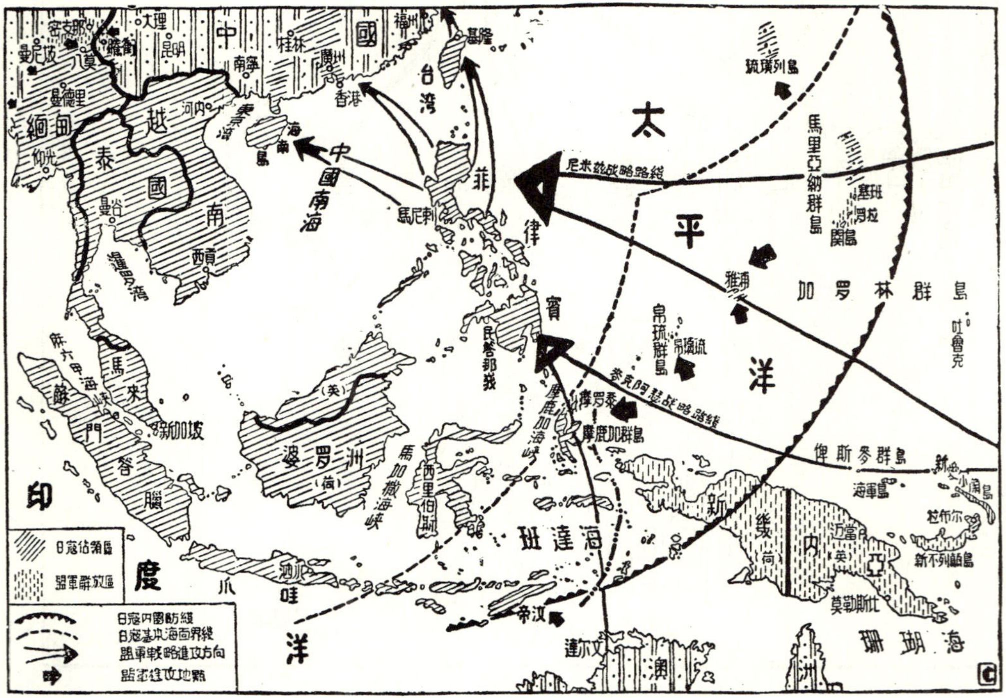

太平洋战争现阶段军事形势图

编者序

啸冲兄和我编完了这本小册子，有几句话是必须向读者声明的。

这本书各章是由我和啸冲兄分别担任编作的。除第一章“太平洋形势概述”，第九章“太平洋的国际经济关系”，第十章“太平洋战争之由来”及第十一章“太平洋战争之现势与展望”四章是我执笔的外，其余各章都是啸冲兄撰作的。

本书既是两人执笔，其大部分的文责，当然是以各人自负为原则。不过从大体上说，全书的观点，思想和立场是完全一致的，即全书均系根据客观事实的叙述，而尽力减少主观的评论，虽然每一章中仍附带一些议论在内，这是在所难免的。

一本十几万字的小册子，要把有关太平洋的一切问题都叙述在内，是不可能的。为了书店对此书字数有严格的限制，我和啸冲兄事前和编作中均特别注意到这点，所以有好些部分——如太平洋国际的学术文化关系，太平洋的战后问题等等，均被迫从略，这是无可奈何的事。即各章中，也只能择要简述，而不能作更详尽的报导或分析，这也是由于同一原因。因此，书中过分简略之处，更所难免。

这本书既名为“太平洋现势手册”，所以着重在太平洋的形势——地理形势，战略形势，政治形势，经济关系等等，而尤其注意“现势”——太平洋战争前夜的形势，战争的原因，战争的现势与战争的展望等。在这一点上，编者自问是尽力做到了的，不过某些地方或仍难免有失之过简之处。希望读者随时不吝指教！

处在太平洋战争总反攻前夜的今日，这本小册子的出版，编者自问是能予留心太平洋问题和一般国际问题的青年读者群以相当帮助的。

志远序于战时陪都

第一章　太平洋形势概述

一　地理形势的轮廓

太平洋是世界上第一个大洋，约占地球全面积三分之一，比全球陆地面积大五分之一。东边靠着南北美两洲，西边临接亚细亚大陆。大洋之西南部为澳大利亚大陆暨新几内亚，新西兰诸大岛；其西为菲律宾与东印度群岛；西北部为库页岛，日本本土及琉球台湾诸岛。大洋北部，陈列着一连串起自阿拉斯加的阿留申群岛；中部则散布着一堆堆的无数的群岛，其最著者为夏威夷、马绍尔、加罗林诸群岛，及关岛、威克岛、中途岛等重要战略据点。太平洋西起东经一百度，东迄西经七十五度，超过了半个地球的阔度；横跨东西两半球，纵接南北两极圈。这是太平洋地理形势的简单轮廓。

二　太平洋国际形势发展的两个时期

太平洋上有很多的弱小民族和落后地域，所以很早就成为欧洲列强征服，掠取和角逐的对象。因而太平洋上的国际形势，简单地就包括着两种基本的关系：一种是列强征掠弱小民族或落后国家，及落后弱小民族反抗异族侵略压迫的关系；另一种便是列强之间互相角逐争夺的关系。这种国际形势，随着世界资本主义之历史的发展，可以划分为两个时期。这两个时期大约以十九世纪九十年代为分水岭，在这以前是一个时期，这以后又是一个时期。

在十九世纪九十年代以前，西欧先进的资本主义国家早已向太平洋上扩展它们的势力，英国于征服印度后，又侵占了南洋各岛屿；荷兰占领了东印度群岛；西班牙占领了菲律宾群岛；法国吞灭了印度支那（越南）；继之有鸦片战争，英法联军等役，用大炮打开了中国的门户，争夺中国的资源、市场和势力范围。在那一时期，角逐的动机，主要的是为着争夺商品的销售市场，掠取廉价的资源和榨取高度的商业利润。在那一时期，列强在太平洋上的领土扩展和经济榨取，对象是在太平洋上尚未被人染指的“自由”岛屿和尚未被任何资本主义列强侵入的“处女”市场，落后地域。正由于那时太平洋上（在世界其他部分亦然）尚存在着许多尚未被人染指的“自由的”落后地域，所以那时资本主义列强在太平洋上的领土扩展和经济掠取，未曾引起彼此之间的严重冲突。这些便是十九世纪九十年代以前太平洋国际形势的特点。

十九世纪九十年代以后的太平洋形势，也就是世界资本主义发展到帝国主义时代的太平洋形势。从这时起，太平洋的国际形势，开始走上了日趋紧张的道路；而这种紧张的形势，主要地是由于列强争夺殖民地和势力圈的矛盾所造成的。随着资本主义的过渡到帝国主义，由于太平洋上的“自由”领土大体业已瓜分完尽，资本主义发展不平衡法则的加强，促使某些新兴资本主义国家（如美如日）的崛起，于是列强间和列强对落后地域的矛盾就日益激化，终于引起了十九世纪末和二十世纪初一连串的战争：一八九四年的中日战争，一八九八年的美西战争，一九〇〇年的八国联军进攻中国，一九〇五年的日俄战争。这些战争已经很明显地意味着殖民地再分割的性质。

这一时期列强角逐的动机已与前一时期有别：它已不仅为着争夺商品市场和榨取高度利润等等，而主要地是为着资本输出的投资场所和殖民地势力范围的垄断。同时，这时角逐的对象已非所谓“自由”岛屿和“处女”地域，而是已有人占领或已被某一强国划为势力范围的一些地域或国家了。因为这时太平洋上（乃至全世界上）的落后地域或殖民地大体已被分割完尽，此后若要扩张领土，只有靠重分，即从一个“主人”转给另一个“主人”，而不是从“无主的”转变为“有主的”。惟其如此，所以角逐的发展，结局必然引起武力的解决——即所谓世界再分割的战争。

三　现世纪太平洋形势发展的几个阶段

不过十九世纪末年以来的太平洋形势（即所谓现世纪的太平洋形势）的发展又可以分为几个阶段。从九十年代到一九〇五年是第一阶段；从一九〇五年到第一次帝国主义世界大战爆发是第二阶段；第一次世界大战期间是第三阶段；从华盛顿会议成立《九国公约》到“九·一八”东北事变是第四阶段；从“九·一八”事变到“七七”爆发中日全面战争为第五阶段；从中日全面战开始到一九四一年十二月七日太平洋大战爆发为第六阶段；目前正在进行中的太平洋战争期间是第七阶段；到同盟国彻底战胜日寇，太平洋长期和平建立以后，将成为太平洋国际形势发展的第八阶段。

第一阶段的特点是由于美日两个资本主义国家的崛起和一部分欧洲资本主义国家（如帝俄和西班牙）的相对的衰落（这是资本主义发展不平衡律使然），列强间的矛盾促成了太平洋上第一次殖民地再分割战争——美西战争和日俄战争。同时，帝国主义列强又向硕果仅存的一个弱大而肥的半独立国家——中国——加紧进攻（中日战争和八国联军之役），以开辟它们在华的势力范围。第二阶段的特点是日俄战争后，美国继帝俄之后而成为太平洋上（特别是在中国问题上）日本的主要敌对者；列强间的矛盾，主要的是日、美、英、法、德、俄等国间的矛盾，不仅在太平洋上，亦且在全世界范围上，日益锐化，卒至引起第一次帝国主义的世界大战。第三阶段的特点是在大战期间，太平洋方面列强势力对比起了重大的变化：英、法、德、俄这几个大战的主角，事实上几乎无异暂时地退出了太平洋和远东；欧洲列强对东方对太平洋各国的经济活动和贸易关系可以说完全停顿了。这就便利了英国和日本的乘机夺取，欧洲列强在太平洋方面的市场或经济势力圈（特别是中国）：美国金元资本的势力，乘机向所有太平洋岸重要的英国自治领和其他欧洲国家的属地或势力范围加速伸展，如对加拿大，对中美南美诸国，对澳大利亚等地；日本则乘机特别加强向中国扩展其侵略活动。第四阶段的特点是华府会议的结果，日本受美英二国的联合压力，而暂时就范，太平洋上的整个国际形势起了激烈的变动：德国因战败而完全退出太平洋和远东；俄国因革命而自动放弃其对华的不平等条约和退还租界，事实上也等于退出太平洋；英、法在远东和在整个太平洋上的力量，则因战争而大大地削弱，惟有美、日两国的势力则特别膨胀，继承了以上诸国所放弃，退出或削弱的地盘。可是因而日美矛盾就变成了太平洋上最主要的矛盾。日本在《九国公约》体系之下逐渐准备其破坏此体系的活动。第五阶段便是日本帝国主义破坏《九国公约》的和平体系由准备变成公开行动的阶段。从“九·一八”事变到“七七”日本对华全面侵略战开幕时止，这是日本公然实行其《田中奏折》里的大陆侵略政策，妄图征服中国，驱逐英美等势力于亚洲大陆之外，从行动上撕毁《九国公约》和破坏太平洋均势的一个阶段。从“七七”到一九四一年十二月七日太平洋战争的爆发，是日本由亚洲大陆而逐渐南进，由蚕食越南泰国而到大规模发动鲸吞南洋群岛和整个西南太平洋的全面侵略战阶段。它的企图是要把英美及其他西欧列强的势力完全驱逐出远东和西太平洋。至于目前正在进行中的太平洋大战这一阶段（第七阶段），则为太平洋上反侵略各国的联合力量抵抗，乃至消灭日本帝国主义的法西斯侵略势力的阶段，但同时在日本和英美的关系上讲，也带着双方争夺对太平洋各殖民地半殖民地的领导权的意味。在日本和中国及其他被压迫民族、落后国家的关系上讲，则显然带着日本帝国主义侵略远东一切落后国家、弱小民族和后者反抗侵略争取民族独立解放的意味。到侵略的日寇被摧毁，太平洋战争结束之后，则只要大家能够真诚实践《大西洋宪章》（即一九四一年八月罗斯福和邱吉尔联名发表的《大西洋宣言》）中所公布的民族自决和国际平等自由的原则，必将是太平洋国际长期和平合作的时期。

四　太平洋战争两年来的战略形势

至于当前的太平洋形势，即太平洋战争爆发以来的形势，又可以分为三个阶段。第一个阶段从大战开幕到一九四二年五月，是日寇全面进攻，同盟国节节败退的阶段。第二阶段从一九四二年五六月到一九四三年十一月，是太平洋上战略相持的阶段。第三阶段从一九四四年一月到六月，是同盟国与日寇由消耗战阶段演进至决战阶段。第一阶段的特点是日寇采取了顺利的全面攻势，把英、美、荷、法等势力完全从西南太平洋上驱逐出去，获得一时的节节胜利；而在同盟国方面则由于战前准备太不充分，梦想循外交途径来延缓战争的爆发，卒至被迫纷纷放弃西南太平洋上原有的重要战略根据地，以造成战略劣势的地位。五月初旬的珊瑚海大战和六月初旬的中途岛大战两次盟军胜利，就扭转了太平洋上的战略形势。从那时起，日寇在太平洋上的大规模战略攻势已被堵住。从一九四二年八月初旬美澳联军发动了所罗门群岛之海空战起，战争的主动权，乃由日寇而逐渐转入同盟国之手。从此同盟国借海空军不断的局部的相继反攻，日寇在太平洋上逐渐失去了战略主动地位，战争乃进入长期消耗的相持局面。

尽管过去一年来（即太平洋战争第二年中），美军在北太平洋收复了阿留申群岛中的阿图岛和吉斯卡岛，巩固了自北进袭日寇本土的战略根据地；尽管盟军在西南太平洋方面获得了一连串的局部胜利：在布纳、新几内亚和瓜达康纳尔岛（所罗门群岛之一），在俾斯麦群岛，在新乔治亚群岛和新几内亚之萨拉摩和雷区，以及在新不列颠登陆和大举轰炸马绍尔群岛，均获得了辉煌的胜利战果；但是这个时期（一九四三年底），就太平洋的基本战略形势上看，和一九四二年五月到年尾一段时期的情形，仍然没有重大的改变，——相持的局面还在继续进展中。

这种相持局面的保持，在日寇方面是由于它的实力

（特别是它的运输力）和战略地位已不允许再发动大规模的攻势；它需要巩固地位，消化赃物，以实现其“以战养战”的方针。在盟国方面因为始终采取先德后日的作战方针，不愿并且不能把主力从欧洲移到太平洋上来。

一九四四年初，盟军决定实施“自欧洲海面调遣盟国海军至太平洋”之计划。接着美军在中太平洋展开攻势；二月底，完成了马绍尔群岛的登陆战，占领群岛上的几千重要岛屿：罗伊、瓜加林及安尼威吐克。不久陆战队登陆圣马西亚斯群岛之埃米罗及厄慕萨两岛（按：该岛位新爱尔兰之北），此举使太平洋战争划一新阶段，即由消耗战阶段演进至决战的阶段，这是第三阶段的特点。太平洋战局进入这一阶段，展开了新形势。新形势的基本特征是：由日寇在太平洋的外圈防御据点底争夺移近日寇太平洋底“海上长城”的心脏了。

由于马绍尔群岛的占领，加罗林群岛便遭受了直接的威胁，从此，美军的攻势，偏重在中太平洋。从千岛群岛南下经马绍尔群岛东部至俾斯麦群岛——这一千五百里的圆周，美军展开了越岛的袭击。西向加罗林群岛，马利亚纳群岛；更跨越土鲁克，穿过塞班，向菲律宾直冲。美军在进攻过程中，从未遇到日军的抵抗。这显示着日寇在太平洋的军事已成劣势，而盟军则居优势地位了。

在西南太平洋，从美军在海军群岛登陆，以及对埃米罗与厄慕萨的控制，于是所罗门，俾斯麦等群岛和新不列颠与新爱尔兰及新几内亚之间的日军补给线被切断了。以前的攻势，原以新不列颠群岛的拉布尔为目标，但从中太平洋形势的推移，新几内亚便为进攻的中心了。四月下旬日军重要据点荷兰蒂亚之被攻下，进袭的触须已及帛琉岛与菲律宾，这一战略形势正与中太平洋的攻势平行配合。由这不只决定下一步对土鲁克、波那普、塞班、关岛、雅浦、帛琉群岛的攻势，而且西南太平洋的大局亦大部底定了。

六月六日，盟军在西欧开辟了第二战场；太平洋战争也踏上了新阶段。十四日美军之在塞班登陆，正是这新阶段的开始。塞班是日寇中太平洋“海上长城”最后堡垒之一，并且是它向太平洋中南两面发展的第一块踏脚石。塞班之被占领，就战略形势说，盟国的海空军不仅能控制从马绍尔群岛到小笠原群岛的全局，且为指向东京的一把长剑。难怪日寇广播承认：“美军已突入日本的内防线。战况已入严重而又严重的阶段。”这种形势之造成，划了太平洋战史的新时期，进入决战阶段的起点。

太平洋战场，中国战场与印缅战场，在战局发展到现阶段，愈益不可分，成为有机的整体性了。中国战场之重要，正如美国军事评论家M.史蒂华所指出的：太平洋战争的胜利，须在中国争取。他说：

> 太平洋战争中盟国的根本战略……其攻势虽然会在日本防线周围许多地方发动，而其主要攻击一定以美国舰队全力作后盾，直接横渡太平洋。但其最终目标，是在夺取中国的一个或数个海口作为最后进攻日本本土的基地。[1]

尼米兹将军说过：“惟有从中国的基地，才能击败

[1] 载一九四四年二月号美国《民族杂志》。

日本。”开罗会议决定，所课予中国的任务，也是在中国大陆上配合盟国打击日寇。盟军在太平洋对日寇的打击愈大，而中国的责任亦愈大。当着日寇的东线（指中太平洋及西南太平洋战线而言）在盟军进攻之下，向内萎缩；在日寇的西线（指中国战场及印缅战场而言），也须配合盟军从海上西进，不让日寇向外扩展。

其次是印缅战场。印缅边境的战事，从一九四三年十月开始斥堠活动以来，日寇即以三十万兵力（包括泰国陆军及伪印度国民军）作战略上的防御，并准备对印度进攻。一九四四年一月下旬，盟军在缅甸发动了攻势，在战略上说，缅甸是日寇与盟军必争之地，收复缅甸，不仅可使滇缅路重开，且将使中国战场与印度战场打成一片，从而消灭日寇西窥印度及进犯我滇、康的企图。所以缅甸之得失，影响将来从大陆反攻日寇的战略部署。因此，缅甸战场被作为亚洲大陆第二战场。三月下旬，缅北战场活跃了，中美联军沿胡康河谷主要公路向密支那推进，英军在更的宛河上游渡河东进袭阿拉甘，战局发展到新阶段。就在这个时候，日寇突然窜进印度曼尼坡，倾全力猛犯伊姆法尔及科西马两战略要地，企图切断阿萨密，孟加拉铁路的主要干线，以威胁盟军在曼尼坡河谷的机场；迫使盟军前锋部队从供应线上撤退；解除北部中美联军的压力；最后目的是想攻到盟军在缅北的补给基地雷多与阿拉甘前线后面的吉大港。

五月中旬，盟军在印缅战场展开较大规模的空军攻势，在胡康河谷活跃着坦克车队。日寇印边的攻势被阻于伊姆法尔区。六月十六日，缅北中美联军攻占了加迈；接着中英军队攻入孟拱及密支那，缅甸战局因之改观。加以滇西中国军队强渡怒江，攻克许多重要据点，控制了相当广大的区域。自密支那而东北，可直达中国国境；自密支那而南，可通八莫，更从八莫而东北亦可达中国国境，水陆运输均便。一旦缅北滇西盟军两路会师，中国即可从这条陆上通路，构成沟通中国战场与世界各大战场的一条动脉了。

这是现阶段太平洋战略形势的轮廓。

第二章　太平洋的地理形势

太平洋位新旧两大陆之间。东面是北美洲大陆，西面是亚洲大陆，西南面是澳大利亚，东南面是拉丁美洲。

太平洋的河流灌域达二万万方公里，其面积占地球上全部水面的五分之二以上。它是世界第一大洋，与大西及印度两洋的面积比较如下表：

洋别	面积（平方公里）	深度（公尺）
大西洋	81,657,800	3,850
印度洋	73,441,960	3,929
太平洋	165,713,490	4,096

太平洋是葡萄牙人麦哲伦（Ferdinand Magellan，Magalhães）发现的。一五一三年麦哲伦上书西班牙王查理五世（Charles Ⅴ）并献香料群岛（按：即摩鹿加群岛［Moluccas Is.］）地图，谓："愿西航达于该岛，获得其地

愿归入西班牙领土之内。”

迨麦哲伦航海越大西洋抵南美南端，发现一海峡（今称麦哲伦海峡），他勇敢穿过，而出广阔之大洋。洋面如镜，风平浪静，与大西洋迥不相同，因定名为太平洋（Pacific Ocean）。这是一五一九年的事。

环绕太平洋的独立国，半独立国与殖民地附庸，达二十。独立国计有：中国、美国、日本、墨西哥、阿根廷、萨尔瓦多、哥伦比亚、秘鲁、智利、哥斯达黎加、厄瓜多尔及危地马拉。半独立国计有：泰国、巴拿马及菲律宾。殖民地附庸计有：越南、缅甸、澳洲、朝鲜与加拿大。

在太平洋有最大的半岛，曰印度支那半岛（亦称交趾半岛），介于南海、孟加拉湾中间；旧分越南、暹罗（泰国）与缅甸三国。自一八八五年法国灭亡越南，同年英国征服缅甸以后，仅暹罗独立。

之外，是马来亚（Malaya）为印度支那半岛向南伸出的小半岛，北部属泰国；南部属英国。英属马来亚，全境分三部：

（一）海峡殖民地（包括槟榔屿，麻六甲与新加坡三州——为英国直辖殖民地；

（二）马来联邦（合霹雳、雪兰莪、彭亨、森美兰四邦）；

（三）马来属邦（分柔佛、吉连、丹丁、加奴、加央五县）。

在太平洋沿岸，有较小的半岛，如位于白令海峡与鄂霍次克海之间的堪察加半岛；濒日本海，黄海与毗我国东三省的朝鲜半岛；突出渤海与黄海的山东半岛及辽东半岛。

在太平洋有最著名的群岛，曰南洋群岛（East Indies），一名东印度群岛，处亚澳两大陆间，就其自然区域言，可分为四群岛：

（一）大巽他群岛（包括苏门答腊、瓜哇、婆罗洲与西里伯斯四大岛）；

（二）小巽他群岛；

（三）摩鹿加群岛；

（四）菲律宾群岛（包括吕宋等七千余小岛）。

南洋群岛在政治区域的划分，则为：

（一）荷属东印度群岛；

（二）英属婆罗洲；

（三）葡属帝汶；

（四）美属菲律宾。

此外有：日本群岛，千岛群岛与琉球群岛。

日本群岛由本州、四国、九州与虾夷（北海道）等四岛结成一弧圈，构成日本帝国的核心；由九州直接向西南蔓延着一串由八十九个岛屿所构成的琉球群岛，从它的西南伸到台湾，把中国的东海和太平洋隔离起来；从北海道向东北展至堪察加的南端，连结一串三十一岛屿所组成的千岛群岛弧圈，从南把鄂霍次克海与太平洋隔离起来。

在太平洋有一大洲，曰海洋洲，亦称大洋洲。它是以澳大利亚（Australia）和其附近无数小岛组合而成。界于亚美两洲之间，面积达八百九十四万四千五百方公里，为世界六大洲中最小者。地理上全洲分为：

（一）澳大拉西亚（合澳大利亚联邦与新西兰而成）；

（二）美拉尼西亚（由新喀里多尼亚、新几内亚、新赫布里底等各岛屿组成）；

（三）玻里尼西亚（由夏威夷群岛、中途岛、瓦基岛与摩拉尔岛、科克群岛、社会群岛、萨拉哥美斯岛等所组成）；

（四）察克罗内西亚（由斐济群岛、吉尔贝特群岛、马绍尔群岛、马利亚纳群岛、加罗林群岛、小笠原群岛等所组成）。

在太平洋有着呈马靴状的南北两大岛，由科克海峡分开了它。这是新西兰（New Zealand）。岛屿是多山的，它的山岭为宏大的冰河布满了的。南阿尔卑斯山崛起到三千七百八十米突。

太平洋沿岸，北自白令海，南迄暹罗湾，其间因半岛的纷罗，构成白令海、鄂霍次克海、日本海、黄海、渤海、东海、南海等。而渤海更有直隶湾、辽东湾；南海亦有东京湾、暹罗湾，故海岸地形屈曲，具有以下两大特点：

（一）海岸与山脉平行：在太平洋沿岸，南起爪哇，经婆罗洲、菲律宾、琉球、日本、千岛、堪察加，入美洲。且以沿岸山脉连绵，宛如一道万里长城，它不仅使北美、亚洲两洲间的关系，完全隔绝，即美国东西两岸之衔接，亦被遮断。

（二）海岸线完全是弧形的：依据地质学者的研究，

远古时代，地质曾一度发生剧烈变化；一部大陆沉陷，太平洋即是陆地沉陷后的水潴。更以其周围陆地沉陷引起的压力，致使一部皱褶隆起，因而形成太平洋沿岸错杂曲折的山脉，成一弧形线。

太平洋海峡多：由于海湾的错综，岛屿的棋布，便构成无数的海峡，举其著者如：

（一）白令海峡（Bering Strait），把亚洲大陆与美洲新大陆隔开；

（二）鞑靼海峡（Gulf of Tartary），把苏联东方的太平洋岸与库页岛隔开；

（三）宗谷海峡（La Perouse Strait），把库页岛和日本的北海道隔开；

（四）轻津海峡（Tsugaru Strait），把北海道和本州隔开；

（五）纪伊海峡（Kii. Chan），把本州和四国隔开；

（六）丰后海峡（Bungo Chan），把四国和九州隔开；

（七）朝鲜海峡（Korea Strait），把朝鲜半岛与对马岛隔开；

（八）对马海峡（Tsushima Strait），把对马岛和本州及九州隔开；

（九）台湾海峡（Taiwan Strait），把福建和台湾海岛隔开；

（十）麻六甲海峡（Malacca Strait），把马来亚和苏门答腊隔开；

（十一）马加撒海峡（Macassar Strait），把婆罗洲和西里伯斯岛隔开；

（十二）巽他海峡（Sunda Strait），把苏门答腊和爪哇隔开。

太平洋良港多：因为太平洋海岸线参差不齐，错综屈曲，自然构成了许多良港。如：

（一）珍珠港（Pearl Harbour），是美国在夏威夷的巨大军港，可以吞吐美国的全部舰队；

（二）荷兰港（Dutch Harbour），在阿留申群岛东部，是美国海军的重心，舰队聚散的根据地；

（三）海参崴（Vladivostok），位苏联滨海省的南端，直当朝鲜入西比利亚交通之冲，为苏联在太平洋上的最大军港；

（四）佐世保（Sasebo），在日本九州的东南角，握日本海的南方门户，为日本的重要军港；

（五）横须贺（Yokosuka），扼日本东京湾的咽喉，是日本在太平洋沿岸的第一等军港；

（六）新加坡（Singapore），在马来半岛的南端，是太平洋的西大门，握战略的关键，为英国在远东最大的海空军根据地；

（七）香港（Hongkong），位于中国海之南，原来是中国的。它与新加坡一样，是英国在太平洋军事地理上极重要的一环，可能成为远东的滑铁卢；

（八）达尔文港（Darwin），在澳洲北部，是英国在太平洋三角阵线之一角，有重大的战略意义。

由于太平洋上海面的辽阔，尤以东南两岸的交通为最盛。东南两岸的交通，以香港为中心，远洋航路，均集中于此。

（一）从香港以东，接太平洋航路，经过上海、长崎、神户、横滨等港，横断太平洋至美洲。

（二）自香港以西，接印度洋航路，经新加坡、槟榔屿，而至哥伦坡。

（三）自香港而南，经马来群岛之间或至菲律宾，或至东澳各港。

除此而外，尚有以各港为中心的近海航路，属于近海航路的港口，如：

（一）香港以东的广州、汕头、厦门、福州、基隆、宁波、青岛、天津、秦皇岛、营口、大连、仁川、釜山、元山、清津、海参崴、下关、函馆等。

（二）香港以西的海防、西贡、曼谷、仰光等。

（三）香港以南之巴达维亚、马加撒、马都拉、马尼拉、阿波那等。

第三章　太平洋上的战略据点

太平洋占地球面积三分之一，比陆地面积大五分之一。有无数大大小小的岛屿散布其间，其总面积要大于欧洲。这样的情形，决定了战争的特点；即海战为其基本形式。要在海战中获得胜利，首先在取得有战略意义的海空军据点。在相等的海空军实力下，谁拥有形势优越的战略基地，海权的锦标就属于谁。

由于太平洋具有这种特点，所以在世界战史上前所没有的岛屿争夺战，便成为太平洋战争中最重要的组成部分。因此，我们要指出太平洋上的重要岛屿。

一　日本的战略据点

（一）千岛列岛——是拱卫日本北方的门户。它由四十七个大岛与一百六十四个小岛所构成，绵延七百里，总面积在廿二万方里以上。

其中最大的岛屿是幌筵岛（Paramushir），隔千岛海峡与堪察加半岛遥遥相望。距阿留申群岛之阿图岛七百六十五里，距吉斯卡九百三十里，距阿齐特卡（亦美海军根据地）九百五十七里。幌筵岛是千岛列岛中的日本的最重要的海空军根据地。

日本拥有千岛列岛，足以控制北太平洋，从此可以北向而窥苏联堪察加；东北向而窥美国阿留申群岛。它一面是守势的据点；一面是攻势的据点。列岛之国后岛（Kunashri）、择捉岛（Iturup）、占守岛（Shumshu）及幌筵岛等，为日本北门的锁链，它的每一个环子，都是美国长征舰队驶往白令海峡以后再往前进的难关。同时从这些据点北上至堪察加不到七百浬，抵阿图岛不到八百浬。从阿图岛东进二百浬，即亚德克岛，再进五百浬，即荷兰港。日本海军如到达此间，便足以控制大三角阵线的顶角；再东进二千浬，即可占领阿拉斯加，从而进窥美国本部。如再南下二千四百浬，可猛袭夏威夷；发动南洋代管岛的兵力，夹击珍珠港（Pearl Harbour）。

所以千岛列岛是日本攻守兼备的堡垒，内防线与中央防线的有力翅膀。

（二）台湾——日本南疆的屏障和东海的锁钥。它是日本向南太平洋发展的大动脉，日本海军在南洋活动的神经中枢。

台湾与中国大陆只隔一狭窄海峡，原为我国南部的一只眼睛；自从日本挖去这只眼睛，台湾便变为敌人进攻中国南部的军事根据地了。其次，因台湾与香港近在咫尺，台湾的海空军进攻广州，固然方便，进攻粤江口外的香港，当更为便利了。香港台湾间仅三百浬，比长崎上海间四百八十浬距离少三分之一。长崎既是日本攻夺上海的军事大本营；而台湾更可能成为进攻香港与九龙的军事动脉。最后，台湾与菲律宾的距离更近，前者的南端与后者的北端相去六十五浬，美国马尼拉“亚洲舰队”的活动，必受台湾日本海空军的控制。

因此，台湾的毁灭，可削弱日本海军对中国东海和南海的控制；会使日本本土遭受到从南方来的直接攻袭。但这种攻击，在日本这个堡垒没有摧毁以前，是不能安全执行的。台湾之于日本，正如夏威夷之于美国。

美国失去夏威夷，就会使西海岸遭受直接袭击；台湾一陷落，日本西海岸便可受到袭击。

（三）小笠原群岛——是日本在太平洋上的海空军根据地，理想中的夏威夷。这个群岛是日本本都的外堡，也是南北沿岸的外堡。因小笠原居军事中心地位，利用这个中心与千岛列岛及台湾的联络，格外密切。日本的海空军的活动，左可为迤北一带的堡垒；右可为延南一带的卫星，从而可以建立由北而南的“国防长城”。

小笠原是火山性质的群岛，在日属群岛中，是最小的一群岛链。位东经一四二度，北纬约二六度三五分至二七度四五分之间。为横滨一大突出点，总计面积为二八点八二方浬。群岛中很少巍峨的山岳，沿岸一带珊礁环抱，港湾独多。形势天成。

（四）密克罗内西亚群岛——日本在南洋的委任统治岛屿。为数达一千四百余，可分三大系列：（1）马利亚纳群岛；（2）加罗林群岛；（3）马绍尔群岛。

群岛位赤道以北的太平洋，居夏威夷及菲律宾之间，并密接俾斯麦岛与新几内亚，有重大的军事价值。

日本的作战据点，除本岛、千岛列岛、台湾等，构成内防线与小笠原群岛为核心的中央防线外，便是委任统治群岛构成的外防线了。这个外防线，形成了日本的海上长城。我们在地图上可以看出。从千岛至本部，复引伸至小笠原，由此而东，便直达委任统治岛，成一L形，宛如一座水上长城。日本拥有这群委任统治岛，便足以控制太平洋迤西北部二千浬的洋面了。

就中加罗林群岛之土鲁克与马绍尔群岛，在太平洋战争中，大有军事价值。前者是盟军攻略的主要目标，后者亦为势所必争的踏脚石。

二　美国的战略据点

（五）夏威夷群岛——为美国本部向西突出的一大据点，位北纬十八度五十四分与二十二度十六分之间，它是美国最主要的海军根据地，屯聚太平洋的海军总汇。

夏威夷被称为“太平洋的心脏”，它处在太平洋的中心，是美国海空军根据点的中心。其周围有西雅图、巴拿马、荷兰港、巴哥巴哥、三特古、阿拉斯加、阿留申群岛、土尼拉等基点。所以以夏威夷为中心，美国在太平洋的军事活动，东、南、北三面都能起呼应的作用。即就西南太平洋说，夏威夷虽距关岛三三三〇浬，距马尼拉四八四〇浬，但因其间有中途岛与威克岛做踏脚石，仍能发挥它的核心作用，控制西太平洋，但不能进攻，因美国的主力舰作战行动范围难能超过三千浬。

（六）菲律宾——是美国在太平洋根据地的防线前哨。它的地理位置，北接中国闽粤与台湾；南邻婆罗洲与西里伯斯；西连越南，泰国与南洋群岛；东临关岛。因此，它不仅横亘于欧洲至英荷葡属殖民地的通路上，尤其适当澳洲与新西兰的要冲，扼日本的海外交通之主线。所以它成为美国的远东前哨和向东发展的踏脚石。

由于菲律宾距台湾只六十五浬，距日本的九州亦不过一千二百浬，距佐世保只一千三百十八浬，美国的“亚洲舰队”，在五日内即可驶达日本的头等海军根据地，进攻日本沿岸，反之，因为菲律宾接近日本本部与台湾，日本的海空军可从台湾出发，以“迅雷不及掩耳”的闪击，占领菲律宾，达到战略上的目的。这次太平洋战争，已证实了这个攻势的可能性了。

（七）关岛——是美国在西太平洋的踏脚石。其一面多山；一面港湾交错，面积约二百廿八平方浬。被称为保卫菲律宾的要塞。

关岛距马尼拉一五一〇浬，距珍珠港四八四〇浬。从夏威夷到关岛，其间有中途岛与威克岛，可做补充站，它可充菲律宾的后卫。同时美国若对日本采取攻势，它可做前哨，美国舰队可以此为据点，发挥它的攻击精神。但是它的最大特点，是离本国军事基地远，距日本根据地近，尤其在日本委任统治岛包围中，可能被人解除武装。

（八）阿拉斯加——是美国在北太平洋的海空军基点，它本身成为美亚两洲间的桥梁。

阿拉斯加就像北太平洋的楔子一样，插在美亚两大陆之间，面积达五十八万六千平方浬，等于美国本部的面积五分之一。阿拉斯加西北面为白令海峡，隔开阿拉斯加与亚洲的接连；东部是一条长狭的海岸与岛屿，沿加拿大伸出；西面毗连阿留申群岛；西南面则为阿拉斯加湾。在战略上是占着重心地位。

阿拉斯加最重要的根据地是斯特加岛（Sitka），美国从斯特加岛跨过阿拉斯加东部，一直到阿留申群岛的顶端，已建造了空军基地、潜水艇根据地与陆军站了。

（九）阿留申群岛——也是美国在北太平洋的海空军根据地，和阿拉斯加一样，是美亚两洲间的中心，在军事上成为太平洋东西两岸的桥梁。

阿留申位阿拉斯加半岛的西端，距苏联的堪察加半岛只一千二百浬。它拥有一百五十以上大小岛屿，它有最重要的军事根据地——荷兰港，可容主力舰及驱逐舰数十艘。荷兰港是美国的海军重心之一，从此前进五百浬可抵亚德克岛（Atka），再西行二百浬，即达阿图！它是海军的汇聚点与空军的基地。

阿留申群岛与阿拉斯加和日本间的距离，几等于与美国间的距离一样。计自旧金山至荷兰港为二〇五三浬，自阿图岛至横滨约为二〇三〇浬，荷兰港至横滨为二五三三浬。因此，阿留申与阿拉斯加不仅在地理上是美亚两洲间的中心，而且在军事上亦是三角阵线的中心。

（十）中途岛——是美国接近日本本部的前哨。它距横滨达二千四百浬。以此岛为基点，向西南延伸把各岛连串起来，恰好遮断日本本部及其委任统治各岛间的航线。

中途岛东距落山矶与西距上海，同为六十度，恰在北太平洋的中央，距夏威夷一千一百二十六浬，距阿留申一千二百浬。全岛面积约为九百余方里，周围海岸参差，可作良港。

一九四〇——四一年美国开始武装它，辟机场，设炮台，筑港口，与荷兰港同为对日本发动攻势的前进阵地。通常所谓美国在太平洋的外防线，是以一个突出的三角形，这个三角形是由荷兰港而下，沿加里弗尼亚而至巴拿马一线为底边，再由这线的两端向中途岛伸延，而以中途岛形成它的焦点。

（十一）萨摩亚群岛——是美国在南太平洋的基石。在英属坦加群岛（Tanga Is.）之北，左为英法共管的新赫不列得斯岛，右为大赫底岛。其周围有：圣诞岛、豪兰岛、方尼斯岛、凤凰岛等做它的卫星。

萨摩亚及其卫星，建立了美国在南太平洋的海空军据点和基地，筑起到夏威夷珍珠港的阶梯。且与日本的委任统治群岛距离相近的关系，它在威胁着日本南美间的航线——这条航线连接旧金山与夏威夷；同时也威胁着日澳间航线——日本到澳洲是经由菲律宾西岸出西里伯斯经马加马加撒班达而抵托列斯海峡。

美国利用这一基点，与巴拿马和夏威夷连接起来，形成一个三角阵线。以夏威夷为焦点向北伸出一线达阿留申群岛，再伸一线至东岸皮基萨脱湾，又形成珍珠港、荷兰港与皮基萨脱湾的三角阵线。这样，便可使窥伺东北的敌人，不敢越雷池一步了。

再以珍珠港为焦点，向南伸出一线经凤凰岛达萨摩亚、巴哥巴哥、珍珠港与巴拿马，亦可形成一三角阵线，护卫着美国东南两部的领地。如再以萨摩亚为焦点，经圣诞岛、扎维斯等岛，划一四千二百浬之直线，至阿拉米答，各做一线接珍珠港，形成三角阵线，以防卫整个北美大陆与中南美洲。

三　英国的战略据点

（十二）澳洲——是远东战略的基点。其北部有达尔文港；西南有孚里曼特港。新几内亚为其北部天然门户，荷属东印度，英属马来、新加坡和泗水，为其西北不可破的前哨。

达尔文港不仅可能保卫澳洲和新西兰，且能强化香港与新加坡的防卫力量。以新加坡为基点，把香港与达尔文港连结起来，形成一个三角阵线。互成犄角，互相连环，便可巩固其防卫力量。

如以新加坡为核心，向南伸一线至澳洲，向西伸一线至印度，再由印度向东南伸一线达澳洲，又构成一防卫印度的三角阵线。

在战略上，澳洲的重要性，由此不难想见了。

（十三）新加坡——是英帝国在远东和西南太平洋的重要战略根据地，是它控制太平洋和印度洋的重要门户，也是所谓东方的直布罗陀。它位于马来半岛之南，隔麻六甲与苏门答腊相对。麻六甲是太平与印度两洋交通的必由之路，而新加坡就扼守这个海峡口上。这是新加坡形势重要的特点。

新加坡的地位适中，印度在西北，澳洲与新西兰在其西南，相距约四千浬左右，距离虽较遥远，但与英国在太平洋的假想敌日本海军根据地的距离为近。它在海战中占重要性。

更以英荷属地为组成主体的南洋群岛，与新加坡更近，可以说是处在新加坡直接保护之下。新加坡与马尼拉及香港，形成三角对峙局面，包围着南中国海，这一战略形势，颇为优越。

但新加坡有其特点，即其北面沿马来半岛一带的陆地上，防御力薄弱，易遭敌人从这方面加以袭击。

（十四）香港——和新加坡一样，是英国在太平洋战略上重要的一环，为其在远东的前哨据点。它的战略地位仅次于新加坡；如果说新加坡是香港的后卫，那么香港便是新加坡的前锋。它们之间的关系和作用，正如菲律宾与关岛的关系与作用一样，即是机动的与连结的。只要把它武装起来，就可变为攻势根据地。它距长崎一〇七六浬，距东京一千五百浬。驻在这里的海空军可以在日本海、东海随时出现，从而截断日本与台湾以至日本与朝鲜之间的交通；特别是空军的力量，足以威胁日本本部。因此它被称为英国在太平洋国防的第一线。

（十五）新几内亚——是保卫澳洲的前哨阵地。它是全世界最大的一个岛，距澳洲仅二百浬。新几内亚包括：巴布亚东北部，俾士麦群岛与所罗门群岛的北部。其东面的一半，由澳洲政府管理。

新几内亚拥有：摩勒斯比港、雷区、布纳、拉布尔、哥纳等港口。在太平洋战争中，它们成了敌寇和同盟国必争的根据地。

（十六）所罗门群岛——是西南太平洋战争的战略中心。群岛分南北两群，北群由澳洲委任统治；南群属英国。总面积为七五〇〇〇方浬。

所罗门群岛适居日本与澳洲东岸——布列斯班、雪梨与墨尔钵各地之中途。东与吉尔贝特群岛相望，南与澳洲相对，北与加罗林群岛为邻。它的战略价值与新几内亚一样重要。群岛中的杜拉吉、查塞尔、伊沙贝特、麻莱搭与瓜达康纳尔各岛，都可做为军事基地。就中之杜拉吉，尤为战略中心，北距雪梨一千八百浬，东距莫勒斯比港八百九十浬。它是保卫澳洲重要基地之一，军略上必争之地。

（十七）荷属东印度群岛——是英领属地的外藩，英国在太平洋上的第一道防线。

荷印位于日本委任统治诸岛与澳洲之间，亦处英属马来半岛与澳洲之间。无论从澳洲到新几内亚或新加坡到达尔文的舰队或船只，都要以荷印领海面为必经的航线。

在战略上说，东印度不但是英国在太平洋的海军驿站，而且是英国空军的桥梁，这个空军桥梁的范围，比海军驿站范围还要大，它除占有马来半岛与澳洲及澳洲与新加坡的空间，尚占有澳洲和香港乃至香港与新加坡的空间。以达尔文为起点，伸一线至新加坡，再伸一线至香港；再由新加坡伸一线至香港，这一广阔的洋面，绵亘三千余里，荷印天然地区，形成英帝国自治领地的一道外藩，战略的意义非常重大。

第四章　太平洋的经济资源

太平洋为甚么是现代原料争夺战的中心？在甚么时候，欧洲殖民者注意到这广阔无边而荒漠的大洋呢？

是在十五至十六世纪的年代。由于“美洲的发现，环绕非欧之航路的发现，给新兴的有产集团，开辟了一个新天地。东印度与中国的市场，美洲的殖民，对于殖民地的交换，交换手段与一般商品的增加，给了商业、航业、工业以一种从来未有过的高涨。并且也就使那个在瓦解着的封建社会里面的革命因素，得到飞快的发展”。

这个年代，正是欧洲各国——西班牙、葡萄牙、荷兰、英国、法国等，向外开拓殖民地，征服东印度，剿灭美洲土著居民，以地球为舞台，展开侵掠战的时代。这种开拓与侵掠的过程，是原始积蓄的主要因素之一，这在欧洲先进国家中对于工商业的发展，创造了前提条件。

欧洲殖民者，初期在太平洋是在寻觅特别值钱的生产品——金、银、香料与皮货，这些东西，当时在欧洲市场是很值钱的。

十五世纪末叶，美洲的金银产地被发现，之后，占地球面积三分之一的太平洋，便成殖民者猎夺的最大目标了。

北美的金、银、铜、铅。加拿大的金、银、铁、镍、石油及毛皮（加拿大是世界大毛皮产地）。墨西哥的银（占世界第一）。阿拉斯加的皮毛（最著者为青狐）。危地马拉的锡、铅。巴拿马的珍珠。澳大利亚的金产（居世界第五位）与羊毛（世界上最大的羊毛产地，每年产羊八九千万头）。新几内亚与斐济群岛的珍珠、玳瑁。新喀里多尼亚的铬、铁、镍、钴。帛琉群岛的磷矿。新西兰的皮革。南洋群岛摩鹿加的香料（自古即为香料名产地，故名香料岛）、咖啡、椰子。菲律宾的烟草、树胶。爪哇的丰富物产（甲于全南洋群岛）。马来半岛的锡产（占世界锡产一半以上）与树胶。暹罗的宝石与砂金。越南的米、树胶、煤。台湾的樟脑（属世界第一）。朝鲜的矿物与米。缅甸的树胶与皮革等。

从十五世纪到十六世纪，正是欧洲资本主义发展的前期，各先进国家的工业非常薄弱，因此，它们认为金、银、香料以及皮毛，重于一般工业原料，这个年代，它们对整个太平洋的侵夺，只限于丰富的金银产地与值钱的生产品底个别区域。

一五一〇年葡萄牙以卧亚（Goa）为根据地，略取麻六甲。一五一二年发现摩鹿加群岛。一五一九年西班牙征服墨西哥。一五九五年荷兰以爪哇为根据地，渐次开拓太平洋贸易霸权，发展殖民事业。一六四一年夺取麻六甲；一六五二年占领开普。西班牙，葡萄牙与荷兰，在太平洋上已占有了巨大殖民地，并由这些殖民地输出许多的金钱与香料。就商业的发展说，荷兰居首位。

英国自一六〇〇年在印度设立东印度公司以后，便和西，葡，荷诸国开始了争夺海上统治权的斗争。一五八八年歼灭西班牙的无敌舰队。一六五二年爆发了第一次英荷战争，一六六五年发生了第二次英荷战争，一六七二年又发生了第三次英荷战争。结果，英国胜利了，并奠定在太平洋上的霸权基础。

英国为甚么首先跟荷兰争霸呢？因为荷兰当时在太平洋不仅垄断了商业，而且占领南洋群岛的广大土地，称为荷属东印度群岛——包括这些主要岛屿：

（一）大巽他群岛（Greater Sunda Is.）包括：（1）苏门答腊；（2）爪哇；（3）马都拉；（4）婆罗洲；（5）西里伯斯。

（二）小巽他群岛（Little Sunda Is.）包括：（1）峇厘；（2）龙目；（3）松巴；（4）的摩尔；（5）佛罗理斯；（6）萨卧；（7）罗蒂。

（三）摩鹿加群岛（Moluccas Is.）包括：（1）哈尔马黑拉；（2）圣涯；（3）安波那；（4）苏拉；（5）班达；（6）密索尔；（7）西兰；（8）欧必拉；（9）干那底。

（四）新几内亚（New Guinea）包括：（1）阿卢；（2）维古；（3）苏朗。

荷属东印度在世界上是最富庶的殖民地。出产锡、石油、树胶、香料、茶叶、糖、奎宁等。以锡的生产而言，占世界第三位。以石油的生产而言，占世界第六位。

以树胶的生产而言，占世界第二位。以茶叶的生产而言，占世界第三位。此外如糖，占世界第三位，奎宁占世界出产总量的百分之九十。香料则占百分之八十。同时，荷印又是个世界各农产物的宝库。

当三次英荷战争以后，英国从一八一一至一八一六年在南洋群岛取得许多荷兰属地，至十七世纪中叶，它毁掉了荷兰的贸易霸权。

继西、葡、荷三国向太平洋活动的是法兰西。一五四一年移民于加拿大。一六〇二年至一六五〇年间，在印度三次设立东印度公司，一七一七年在北美创立密西西比公司，在西印度亟谋殖民事业的发展。但其间，它的主要竞争者，不是西、葡、荷，而是英国。在一六八九至一八一五年，和英国交了几次战，加拿大与北美的殖民地以及一部在南洋的荷兰属地，悉为英国得了去，连在印度都立脚不住。

自一八四一年法兰西在太平洋取得马库萨斯群岛（Marquesas Is.），一八五四年取得新喀里多尼亚（New Caledonia），一八六一年占领印度支那（Indo-China）之一部，一八六二年合并柬埔寨（Cambodia），一八八四年至一八九四年，取得整个越南。

越南就其经济资源说，米产丰饶；稻田总面积达六百二十四万公亩，每年米的出口约一百万吨。境内蕴藏的煤极富，品质亦优，每年可得一四五〇〇〇〇吨。锌产每年可得五千一百吨。树胶年产五千七百六十吨。胡椒年产三千八百六十吨。椰子年产八千九百吨。蔗糖年产一万吨。棉产一千二百七十七吨。

其次，新喀里多尼亚，大部为森林地，农牧俱盛。产咖啡、甘蔗、玉蜀黍、烟草及果实等。矿产以镍为最富；金、银、铜、铁、钴、铬、煤等。

就中法兰西之取得印度支那，具有最大的经济意义，越南不仅拥有自然富源，富庶的居民，且有最重要的军略上的意义，因它可作为侵入中国南部的根据地。

中国是太平洋沿岸最重要的国家，靠近太平洋的中国海岸——南海、黄海、东海、渤海等，是中国对外的重要门户，外国资本对它侵略的集合场。中国之所以成为外国资本侵略的集合场，在经济上说，由于中国有丰富的资源。论矿产，煤藏量达二千万万吨。石油藏量为三十六万万桶。铁矿藏量约十万万吨。钨尤为特产。

此外，锡、铅、锌、锰、锑、铜等，都极丰饶。而动力资源，尤不可限量，据估计有二千万马力。因此，列强把中国看为原料的巨大的来源。

一八一五年，英国在太平洋胜利的结束了反对法国的斗争，击溃了它底殖民地的竞争者，不只保障了海上的统治权，而且奠定了英国经济霸权的基础，从而扩张它的势力。

在争取太平洋海上统治权的斗争中，英国战胜了西班牙，荷兰与法国。一七六三年它获得了加拿大。一七八八年取得了澳大利亚。一八四〇年占领了新西兰。一八四三年的鸦片战争，取得了我中国的香港九龙。一八六七年合并新加坡、麻六甲、槟榔屿为海峡殖民地。一八八六年征服缅甸。一八八九年控制马来联邦与北婆罗洲。

这些殖民地不仅有金、银、香料、皮毛，还有丰富的工业原料。比如：加拿大煤的藏量达一万六千万万吨，只次于美国。镍产占世界之大半。安大略与育空区（Yokon District）为产金最富之地。金、银、铜、铅等，都有丰饶储量。加拿大又是世界大皮毛产地。澳大利亚，有富足的煤，藏量在一千七百万万吨以上，黄金产量占世界第三位。铁矿有大规模的储藏。此外，羊毛的收集量，占世界第一。新西兰的矿产，以金、煤为最重要；格勒摩斯与卫斯浦，为南半球的第一煤产地。缅甸的矿产，以石油及锡为最多，近滇边一带，并产宝石。伊洛底瓦江流域的米产特别丰饶，此外如棉花、烟草等，都有世界意义。海峡殖民地，马来联邦与英属北婆罗洲，产业以树胶与锡为大宗，树胶年产五〇三一二七吨。锡产达七七五四二吨。石油年产五七三九四吨。椰子、咖啡、甘蔗等次之。

正当英、法、荷诸国在太平洋开始剧烈争夺殖民地的时候，北美十三州脱离英国而独立（一七七六年），建立北美合众国。它的可惊的势力，向美洲大陆扩张，向太平洋问鼎。一八〇三年从法兰西购买路易亚那（Louisiana——自密士失必河口直贯北美中部以迄加拿大），一八〇四年至一八一一年合并法领欧勒干（Oregon），一八一九年从西班牙购得佛罗里达（Florida为墨西哥之一州），一八四五年由墨西哥获得了德克萨斯，一八六七年向帝俄购买阿拉斯加，一八九八年取得夏威夷、菲律宾、关岛等，一九〇〇年取得萨摩亚，一九〇二年获得巴拿马运河建筑权。从此，美国奠下太平洋沿岸的殖民基础。

就这些殖民地的经济资源说，阿拉斯加有相当丰富的矿产，煤年产十万吨以上，银和铜约值六四一五九一〇〇〇金元，金产年值千万金元。石油与煤，产量亦饶。夏威夷的物产，主要是农产物，首推甘蔗，在一三八〇〇〇种地中，产量约为一〇三五五四八吨。其次为波萝。菲律宾人矿产，最为丰富。马尼拉的金矿，年产价值达二千万金元，在苏尔有亚酸盐，年产十万吨。在吕宋有铁矿，年产五百万吨；锰矿已知量为十万吨。石油、锌、铅、煤等，均有相当数量。关岛的矿藏颇少，仅有些许的煤。主要农产物，为米谷，咖啡及椰子等。萨摩亚亦少矿藏，多森林，出产以椰子为大宗。巴拿马的物产，以树胶为主，椰子、咖啡亦丰。

美国领有上述诸地，在太平洋上由夏威夷、中途岛、约克岛、关岛、菲律宾等，组成了一条链锁，从而强化了它的经济的与军事的地位。但随之也招致了它的竞争者，不只是英国，而且是日本。

一八六八年，日本新兴的有产者集团，颠覆幕府，实行维新，创造了资本主义发展的可能性。一八九四——九五年，中日甲午之战败我，割我台湾，以及琉球，澎湖与朝鲜等。从此它在太平洋上的地位提高了。迨一九〇四年日俄战役胜俄，又获得了库页岛南部，并租借我旅顺、大连，因之，确立了侵略我国大陆的根据地。

日本资本主义最大的困难点之一，是缺乏工业原料。煤与铁是极端贫乏的，石油的储藏量亦不丰富，铜的藏量比较大些。日本由于基本工业原料的缺乏，对殖民地的掠夺，特别表现了疯狂性。在它于二十世纪开头所掠夺的殖民地中，还没有能够满足它的欲望。如台湾，绝无矿物，仅有米、甘蔗、茶和樟脑。朝鲜亦少矿产，农作物以米为最多。因此，日本从甲午战起，便把中国看为它的侵略对象，日本帝国主义也就成了我们最大的敌人。从一九三一年起，它武装进攻我国，到一九三七年，达到了全面的侵略。

第五章　太平洋的民族与民族问题

一　民族与种族

太平洋的领域广阔，它包括美洲，亚洲与大洋洲及太平洋中的无数岛屿；在这里分布着全世界所有的各系民族和人种。例如：

在拉丁美洲：墨西哥有亚茨克族（红种人），秘鲁有印克族（红种人）与印第安族。就整个拉丁美洲说，分布着拉丁民族（或称罗马民族）——它包括西班牙人，葡萄牙人，意大利人，而西、葡、意等语言，在支配着拉丁美洲各国。

在加拿大：有印第安族，哀斯基摩族，西印度人等。在美国：有内革罗种（黑种）与印第安族。在西岸的亚洲：有五千余年文明古国的中华民族以及少数散在中国边境的蒙、回、藏、苗、瑶等民族。在日本有大和民族及被日本所征服的朝鲜民族。再向南，在印度支那半岛的泰国、越南、缅甸，则有印度支那族。而分布在太平洋中心的，有散居于荷属东印度群岛，马来群岛，新西兰，夏威夷群岛的马来民族，散居于巴布亚群岛的巴布亚族，散居于菲律宾的短黑人。在澳洲的有澳洲土著民族。

因为太平洋的绝大部分是先进国的殖民领域，在名称上：有的叫做保护地，有的叫做自治领以及委任统治地等。这里民族的复杂，尤其绝大多数的民族又处在被压迫的地位，因之形成太平洋民族问题的复杂性。

拉丁美洲与北美的民族的问题，看来还比较单纯。而西南太平洋的民族问题，那就复杂了。我们为叙述便利起见，在这里暂分为半殖民地，殖民地及南太平洋土著民族三部来说。

第一，半殖民地如：

（一）泰国：据一九二九年七月的调查，泰国人口为一千一百五十万六千二百〇七人。其中泰人居一千零四十九万一千三百〇四人。欧洲人为一千九百二十人。

还有其他各种族杂居其间。在人种方面，泰族占绝对优势。在宗教方面，佛教徒约一千零九十五万余人，回教徒四十九万余人，基督教徒约五万人。华侨与华泰混血儿五百万人。

（二）菲律宾：据菲律宾大学人种学教授毕耶（Ottey Beyer）研究，菲岛最古的人种为皮哥米族（Pygmier），印度纳西安族（Indo Nesians）及马来人种。

皮哥米族约九三〇〇〇〇人，为不甚开化之一族。且有一小支派曰纳哥里托斯族（Negritos），总数在三万以上。印度纳西安族系由印度迁来，目前犹略表现印度民族的特性。人数在五六四〇〇〇人。马来人种可分三支派：一曰耶教马来族；二曰回教马来族；三曰邪教马来族。耶教马来族又分为天主与基督两派。总人口在三〇〇〇〇〇左右。

第二，殖民地如：

（一）台湾：居民大都为我国福建，广东两省人。论人种除生番外，都为我中华民族。本岛生番，可分七种曰：太野儿族、保隆族、培旺族、曹米族、阿米族、亚米族、晒随斯族。人口合计一六一九五一人。曹米族从前为优势种之一，在生番中处于领导地位。

日本统治台湾，分居民为四种：（1）本岛人（指我闽粤同胞）；（2）番人；（3）日本人；（4）外国人。

（二）朝鲜：人口达一千九百五十万，朝鲜人民在血统上尚可分为土著与外来两族。土著如：夫余族（为通古斯族），高勾丽族，韩族，挹娄族，沃沮族。外来族如：汉族与蒙古族等，但实际已形成整个朝鲜民族，因朝鲜的语言文字始终在起着支配的作用。

（三）越南：人口一千九百六十四万，其绝大多数为中国支派（中国史书载：越南人与我苗族同血统），分多数部族，其主要者为柬埔寨族（Cambodians），老挝族（Laos），山族（Shans）与摩衣族（Mois）。华侨在越南者达三十六万人。

第三，南太平洋土著民族：

（一）荷属东印度：据一九三〇年调查，全荷印人口总计六千零七十余万人，其中土人占五千九百万人，大都分为印度纳西亚人与美拉尼西亚人；此外还有十七个民族。

爪哇、巽他及马都拉诸民族，主要是散布在爪哇、巽他与马都拉。这些民族比较开化些。

亚齐、沓达、南苏马来与米南加婆马来等民族，构成苏门答腊的主要居民。这些民族依农业、牧畜、渔猎为生。米南加婆马来民族有著名的手工业。

婆罗洲居民，主要是马来民族，其次是达亚克民族；布吉及望加锡是西里伯斯岛上主要民族。

在新几内亚则有美拉尼西亚族。除此而外，还有一些仍在原始社会的，图腾社会的小民族。各民族各有其语言，而宗教亦多样，从回教、佛教、基督教，一直到婆罗门教等等。

（二）马来亚：在马来亚，较马来民族更早的民族，统名之曰番族。内分：尼格里多，沙盖与甲干族。这些民族由于经济落后，及与马来族女子结婚的关系，已渐被同化。尼格里多族现在散居在霹雳北部、吉礁及吉连丹各地。沙盖族亦居于吉连丹及彭亨的边境，以及霹雳的高地一带。甲干族多居于马来半岛之南部，尤以柔佛为多。这些民族，各有其语言，而所崇奉的宗教，是天神。

马来亚最主要的民族，是马来亚民族。这里的人口达二千万，马来族就占一千六百万。

（三）英属北婆罗洲：大小民族在十种以上，主要的是：杜孙族、木如族与巴瑶族。杜孙族居住于荷属婆罗洲及沙捞越附近。木如族居荷属婆罗洲及沙捞越附近与内地丘陵一带。巴瑶族多居于海岸一带及东北海岸之岛屿。主要语言是马来语。

二　民族问题

根据上面叙述的，足见太平洋民族的复杂，而民族问题亦复杂化。

太平洋民族问题的发展，是跟着太平洋经济情形的发展而发展的。民族问题的形成，是在商业资本主义时代的殖民政策及到帝国主义时代金融寡头政治的基础确立以后，民族问题便具体的发展了。

我们现在把太平洋民族问题的发展，分为三个阶段。

第一阶段（从十九世纪末叶至第一次世界大战）的民族问题。

二十世纪前后的年代，民族独立的思潮，已经弥漫于太平洋沿岸了。美西战争之前，菲律宾民族已有脱离西班牙的独立运动；在十九世纪的末期，有拉丁美洲诸国的联合运动；及至二十世纪初叶，又有中国推翻满清的运动。这些民族运动，对于帝国主义国家的殖民政策的推行，是极端矛盾的。

列强为了巩固其统治权，用种种办法来阻止各个民族运动，它们共通实施的办法，是怀柔政策。这个时期，北美合众国为了拉拢拉丁美洲各小国，在一八八九年发起泛美运动，在华盛顿召集第一次泛美洲大会，并且设立一个泛美联合会，以控制整个美洲各民族的活动。

同时在亚洲方面，中华民族对外的民族自觉意识，正在潜在的发展着，还没成为主要的联合力量。一九三一年日本帝国主义提出了“黄种人联合起来打倒白种人”的口号，于是太平洋西岸，日本帝国主义也开始利用它的大种族主义政策，向亚洲大陆进攻了。

一九一四年七月欧战爆发，巴尔干的星星之火，遍及全世界，其时协约国方面提出了“民族自决”的口号，以鼓动各弱小民族援助其宗主国对德国的战争，把一切民族受压迫的仇恨，都推到德帝国主义身上去，于是被压迫民族为求得自身的解放，一批批愿意供其宗主国的牺牲，运到火线上去。一九一七年美国参战，黑种民族应募到欧洲战场者达四十五万人，在作战期间，他们建立了许多功绩。

此际，菲律宾民族对美国的仇恨，亦为“民族自决”口号所鼓舞而消释了，并且表示效忠美国，参加对德战争。再如拉丁美洲的各民族亦先后派遣大批壮丁到欧洲战场。就是中国也有五十万华工开往欧洲战场，为各协约国军队输送粮秣弹药。这些民族参加战争，并不是与德国有甚么利害的冲突，也不是替“上帝”服务，而是受“民族自决”的意识所激荡，才不惜牺牲的参加战争。

但当战争结束，协约国虽由《凡尔赛和约》规定成立许多新国家，但它们的目的，不是为了实践“民族自决”的诺言，而是为了肢解战败国。同时对各弱小民族作更进一步的压迫。在战前许多是独立的民族，现在却都变为列强的附庸民族了。在一九一四年全世界有八千九百四十万平方公里，三分之二的面积是殖民地与半殖民地；全世界总人口达十六亿五千七百万中，附庸民族的人口即占九亿二千九百九十万人。迨至一九二〇年，全人口十七亿二千万人之中，附庸民族的人口，即占十四亿五千万人了。从这些数字看来，列强分割殖民地的程度，不难想见了。

第二阶段（从第一次世界大战到一九四一年太平洋战争）的民族问题。

第一次世界大战之后，太平洋民族问题有一个普遍的基本发展，就是民族反帝运动的高涨。一九一九年美国丹尔撒斯的黑人发生空前的反抗白种民族运动，翌年更进一步的在纽约召开黑人大会，讨论建设共和国的具体方案。一九一九年三月，菲律宾国会通过《目的宣言》，指明菲律宾民族所处的地位，其决心与独立的必要等。一九二二年荷属东印度向荷兰政府要求高度的自治运动，使政权从海牙殖民大臣移于巴达维亚的政府。一九二五年中国发生空前的“五卅运动”，继之爆发了大革命，反帝斗争深入广大群众之间。

在民族运动昂扬中，列强对殖民地和半殖民地的对策，是欺骗与威胁并用，它的欺骗方法，是实行改良主义，收买殖民国家或民族的上层分子，以缓和殖民地弱小民族的反抗；它的威胁方法，是采取镇压与屠杀政策，使殖民地的弱小民族不能不摄服。

然而，太平洋殖民地与半殖民地的民族运动，不是封建时代的部落主义，也不是资本主义时代中的国家主义，而是"一切被压迫民族联合起来"的有民族革命意义的新时代了。

第三阶段（从太平洋战争爆发至现在）的民族问题。

一九四一年的太平洋战争，在基本上是因为民主的反侵略势力对抗日本法西斯侵略势力的一种战争，但同时它也或多或少地包含着列强争霸战的性质与被压迫民族解放战的性质。这两种性质在民主国家反对法西斯侵略的国际条件下统一了起来，可是并没因此丧失其独特的内容，尤其是太平洋争霸战的内容，这个内容便使太平洋战争显得复杂。基本上是太平洋反侵略阵线的内在矛盾。虽然，英美与苏联乃至中国的矛盾，大体上已经统一于反对日本帝国主义的侵略战争，可是列强——特别是英国与太平洋殖民地的矛盾，却并未因战争而消失。因此，日本帝国主义者就有隙可乘，提出"解放东亚民族"与"东亚各民族独立自治"等欺骗口号，以麻醉各殖民地人民，以离间这些殖民地与宗主国的关系，而削弱反侵略阵线的力量。所以现阶段殖民地民族的独立问题，实在是太平洋上反侵略战争的主要关键之一。

由于这种内在的矛盾，表现而为三角斗争，即是日本帝国主义，英美与英美底太平洋殖民地之间的三角斗争。这种三角斗争，在现阶段显示着与欧洲的反侵略战争完全不同的面貌。在欧洲，一切弱小民族是同情反侵略国家，其民族运动是反对法西斯轴心，可是在太平洋，殖民地与半殖民地的民族，如马来亚、缅甸、荷属东印度，以及泰国等的“民族运动”，在目前还不是完全有利于反侵略国家，而是为日本作伥，最好的态度，亦只是维持中立。这是说明，宗主国对殖民地以及侵略国对半殖民地国家，须要改善过去传统的政策；执行正确的政策，并建立民族间的新关系，团结合作，尊重这些民族的独立自由，建立太平洋各民族反法西斯的统一阵线，使这一民族运动与反侵略战争合流。否则，使大部分民族得不着自由，他们便无由参加反抗日寇的战争，无疑地会增加胜利来到的困难的。太平洋民族问题，不是战后的问题，而是今天战争当中的问题。

第六章　太平洋的民族革命运动史

一　朝鲜民族的革命运动

朝鲜在一八九五年及一九〇四年两大战争之后，便成为日本强盗的俎上之肉了。一九一〇年八月，韩王接受《合并条约》，全国的统治权便让渡给日本了。从此，日本在朝鲜设置总督，总揽军政大权。总督府是统治朝鲜的最高机关，下设内政、法务、警务、殖产诸局；以下更设若干官署，以为镇压朝鲜人民的工具。

日本统治朝鲜最初是采取极野蛮的警察制度，以警察与宪兵直辖于总督府，使两者互相连络，这叫做“统合制”。中央置警察总监部，各道置警务部。警务总长以统驭宪兵之长官兼任之；警务部长以各道宪兵队长兼任之。各道之内得酌量地方情形，设置宪兵或普通警察官。甚至对小学校的训练，亦须佩剑，以便遇有紧急事变尽其维持治安之责。

同时朝鲜之集会、结社、言论、出版等限制尤严，朝鲜总督颁布《保安法》与《警察犯处罚令》，以镇压朝鲜人民的反抗。但朝鲜人绝不以警察制度的横暴，与政治压迫的加紧，而停止反抗斗争。

朝鲜人民抗日斗争的发端，是在一九〇六年。在这一年，朝鲜人民在汉城创立“大韩独立协会”，掀起了广泛的抗日斗争，各地方的志士与农民揭竿起义，并收编被解散的军队，组织十万义勇军，与日本驻军进行激烈的战斗，继续了八年之久，鲜日两军伤亡的人数如下表：

年代	义军死伤数	日军死伤数
1906	227	8
1907	5,258	184
1908	14,698	490
1909	3,138	110
1910	221	20
1911	130	12
共计	23,699	824

从一九一二年至一九一三年，朝鲜各地的革命行

动，继续发作，领导者是一些儒林的知识分子。有前政府赞政崔益铉率领学生林秉瓒等密谋革命，事泄被日兵围攻。未几，崔被捕，绝食而死。他的学生卢应奎仍继续组织反日斗争，旋亦遇害。不久，有李殷赞，李载求，李麟荣等集合九千三百反日斗士，揭竿而起，李麟荣被推为统兵大将誓师讨伐，连占要地，直迫京城，并约各地义军进攻日本统监府，声势浩大，使日本驻军破胆，经过二十几天的血战，才把这次起义“弭平”。日本强盗虽然压平了这次的朝鲜起义，但朝鲜民族的自觉，是压制不了的。因为他们所受的痛苦太深了。最厉害的是经济上的剥夺。

原来当朝鲜的经济，还没有蜕脱封建经济的时代，就为日本资本主义把它殖民地经济化，变为“农业朝鲜”了。朝鲜总督府明令禁止朝鲜人民经营工商业，并制定“社会令”。禁止朝鲜人设置资本五千元以上的公司。而日本资本家却在朝鲜组织巨大的金融企业，收买良田，开拓荒地，大规模掠夺朝鲜人民赖以生存的土地。

朝鲜被并吞后，百分之七十五的土地为日本总督府所占有，据调查：一九一三年破产的农民，达一万零三百三十二户，其中庆北道占三千三百八十五户，全北道占二千零九户，咸南道占一千五百五十五户。流徙于日本者约二万五千三百零八人，迁往东三省者达三千一百三十余人，至西比利亚者达一千零九十一人。总计从一九一〇年至一九二七年，朝鲜农民迁移国外者当在一百五十万以上。据一九二七年的统计，朝鲜全国土地百分之八十已归日人所有，失去土地而离乡的农民，不下二百五十万人。

朝鲜农民每年收入，为数极微。姑举一例：据一九二七年的调查，每户佃农平均收入，每年为一百一十三元日金，每人每户只得五元七角，一切衣食费用，皆借此挹注。朝鲜佃农约一百万户，贫农达一百万户，极贫农达十六万户，其总额约占全国户口三分之一。而朝鲜劳动者的生活，更为凄苦。朝鲜的工业，可以说完全在日本资本的控制下，而三菱三井两大财阀占支配地位。例如：纺织业、洋灰业、化学工业、制铁业等，都在他们的手里。而破产的农民亦只有在暗无天日的日本工厂中做工银奴隶。他们每天要做十二小时以上的工作，最多的工资是二元二角日金，最低的是四分五厘日金，试问怎样生活呢？

饥饿与苦痛，迫使他们坚决的走上革命的道路。一九一九年三月一日，爆发了伟大的大革命运动，这在朝鲜民族解放斗争史上最值得大书特书的。

当欧战五年的大屠杀结束了，民族革命运动激荡全球，世界六分之一的土地上建立了社会主义的国家，世界殖民地都揭起了独立自由的旗帜，纷纷独立。在这样的革命怒潮中，美国总统威尔逊提出了“民族自决”的口号，朝鲜民族解放运动也正在这个时候爆发了。

在三月一日这天，有自称“朝鲜民众指导者”三十三人，集合于汉城之塔洞公园，朗读《独立宣言》，听众异常兴奋，高呼“大韩独立万岁”！计自是日起，民众示威运动的浪潮，震荡全国，青年、学生，以及社会各阶层的群众，罔不高呼“大韩独立万岁”，其不呼喊这个口号者，则指为亲日派，卖国贼，而殴打之。这时，日本的警察与驻汉城的骑兵，向群众猛冲，青年男女学生死伤无算。这次运动不到一月，即从汉城扩大到全国各地，从而掀起全民族的革命。并成立“大韩国民政府”，宣布独立。综计这次示威运动的次数为一五四二次，参加的人数为二〇二三〇九八人，运动的地区达三一一处。同时，他们组织朝鲜独立军，当殖民者把这次伟大的革命运动压平之后，这部分独立军遂被迫退到我东北与朝鲜边境从事游击战争。

“三一运动”之前，朝鲜人民绝无“政治自由”，此次运动之后，日本不能不对朝鲜稍作让步。斋藤总督，在“文化政治”名义下，赋予朝鲜以发行杂志和报纸的权利；在改良主义范围内有结社的自由。一九二〇年四月，开始有《东亚日报》，《时事新闻》与《朝鲜日报》等三种韩文报纸出版。同时，各地的青年团体，亦如春笋勃发，举其著者为：“朝鲜青年联合会”。这类团体共有一百三十三个，拥有会员三万余。从此青年运动走向解放运动的道路，而朝鲜人民的反日斗争，亦踏上了新阶段。

劳动运动开始了。一九二三年，京城洋靴工人要求增加工资及改善待遇，联合举行大罢工；汉城四乡农民首先提出减租减税的要求，并组织佃农团体，各地并举行佃农大会，展开了农工斗争。到了一九二五年，朝鲜产生了“劳动总同盟”，全国“农民总同盟”与“青年总同盟”。这三个团体拥有十数万的盟员，形成了反日斗争的主力。

一九二六年，产生了推动少年运动的团体，一为“五月会”，一为国粹主义的“少年运动协会”，不久，两个团体在共同抗日的总目标下，共组一个联合机构——“新韩会”。一九二七年又创立一个全国性的“朝鲜少年联合会”。此际，朝鲜民族运动已有长足之进展。

一九二九年十一月，日本殖民者正举行明治天皇纪念节的庆祝大典，其在各地的驻军及浪人到处酗酒侮辱鲜人。而在罗南道光州车站内亦发生多数日本学生侮辱朝鲜女生之事。朝鲜学生大多愤慨，致与日生相驱。由是引起日本教员率领学生捣毁朝鲜学校的暴行。光州全城驻军借口维持治安，全部出动，除当场痛殴朝鲜学生外，并逮捕三百余人。光州市民激于义愤，于是举行大规模的游街示威运动。高呼“释放被捕学生！”，“打倒日本帝国主义”，“大韩独立万岁！”等口号，朝鲜各地，如罗州、京城、平壤、咸兴、仁州、东莱、公州，亦发生示威运动，并举行罢工、罢市、罢课，以为声援。

一九三〇年一月起，京城各校朝鲜学生，举行第二次示威运动，于是罢课浪潮弥漫全国，而各地工人一律罢工，农民一致抗租。日本殖民者为着镇压日见抬头的朝鲜民族解放运动，它不惜用最残酷的屠杀办法，绞死这民族的生机。一九一九年所作的“政治让步”，现在不仅全部收回，且加重了无限的压力。这时一切公开的活动，都不可能。尤其在一九三一年“九·一八事变”爆发以后，日本为着准备大规模的对中国侵略，为着确保后方“兵站基地”的安全，它把整个朝鲜放在极严密的军事控制之下。此后，革命运动暂趋沉寂了。

日本强盗所制造的“九·一八事变”，给予太平洋民族运动以一个历史的转变，在朝鲜民族解放运动上，也是一个转换点。因为朝鲜独立活动根据地的东三省，变成为日本强盗的统治区域，使在东三省的朝鲜革命活动，受到很大的阻力。

其次，日本殖民者在朝鲜，一面极端压迫朝鲜人民的反抗活动；一面引诱朝鲜的败类，组织无耻的亲日团体——“协合会”，“大同民友会”等，从事对朝鲜人民的欺骗与利诱。

但是，朝鲜人民是有反日斗争光辉传统的，对日本强盗的镇压，不屈服，对它的欺骗和利诱，不相信。他们坚决的和日本强盗作“势不两立”的斗争。从“九·一八”至“七七”这六年间，殖民者在朝鲜拘捕二万三千四百余爱国青年。在一九三七年一年内，朝鲜农民的抗租事件，就发生三一七九九件，主要是反对日本的地主。在一九三八年，只在金罗南道就有一一七七〇起的抗租事件。

在东三省，一九三二年后，朝鲜独立军由梁凤瑞领导改为朝鲜革命军，与中国东北义勇军取得密切联络，有的小部队参加义勇军，共同对日本强盗作战。杨靖宇领导的抗日联军第一军，朝鲜人占三分之一，王德泰领导的抗日联军第三军，一半是朝鲜人，赵尚志领导的抗日联军第三军，朝鲜人占三分之一。这些朝鲜人在抗日斗争中是坚决的，勇敢的。在关内的朝鲜各党各派，这时感到统一与团结特别必要，首先由五个朝鲜革命团体组成了“朝鲜民族革命党”，中国抗战开始后，“朝鲜民族革命党”与其他两个团体联合组成“朝鲜民族战线联盟”，一九三八年在武汉成立“朝鲜义勇队”，团结朝鲜革命青年，在华中及华北参加中国抗战，以提高朝鲜武装斗争的力量。在国内，朝鲜人民反日的革命情绪，尤为高涨。一九四二年日寇在朝鲜厉行征兵制与粮食统制政策以来，朝鲜各地便时常发生暴动。一九四三年十一月，平壤中学生首倡朝鲜独立运动，义州、元山、釜山、光州、咸兴等各大城市人民闻风响应，一时大小暴动事件达三十余起，被捕的学生与人民达十余万。日寇鉴于朝鲜人民反日运动的发展，于是准备恢复朝鲜的君主政治，成立类似东北四省的傀儡政府，以缓和朝鲜人民的反日斗争。这是一种最毒辣的阴谋。

在中国的韩国临时政府，于太平洋战争后，为着号召各党派的团结与集中全民族的力量，颁布了民族统一战线的《大韩民国建国纲领》。朝鲜护法议员此际也发表了自动取消护法运动宣言，以响应临时政府的号召，从此形成了朝鲜独立运动空前的大团结。一九四四年四月，在华各政党（如：韩国独立党，朝鲜革命党，朝鲜民族解放同盟，朝鲜无政府主义者总同盟）更实现了民主团结，并且在这个基础上完满举行了第三十六次临时议会，修改了宪法，选出临时政府主席副主席及国际委员。第一次成立各党派一致拥护和参加的民族统一战线政府。这是朝鲜独立运动划时期发展的阶段。

开罗会议，盟国领袖决定了朝鲜独立的原则，在朝鲜走上民族团结与反日斗争发展的新阶段，盟国应该重视他们的力量，予以切实而有效的援助，使朝鲜的自由解放，早日实现。

二　台湾同胞的革命运动

台湾是中国的一部分，其面积合澎湖列岛及其所属诸岛计之，共为三十五万九千五百零八平方公里。在福建的东南，东北遥接琉球群岛，南与菲律宾隔一巴士海峡（Bashee Chan.），东临太平洋。内与福建、广东、浙江、江苏、山东、河北、辽阳各地息息相关，外与日本、琉球、泰国、越南、南洋群岛及欧美各国一苇可航。它的形势，非常险要，是我国南部的一只眼睛，其地位关系我东南国防。

欧洲殖民者东来，对这个岛屿，都想染指。一六二四年荷兰人入据台湾，并且统治台湾一部达三十八年，为郑成功所驱逐。西班牙人亦一度占据台北，但为荷兰人所逐。一八七一年，日本渔人六十九名漂泊于台湾南岸，内有数人为台番所杀，日本政府向满清政府提出抗议，满清政府却以“琉球为中国藩属，台湾番民本属化外”为理由，对日政府抗议竟置不理。一八七四年，日本政府大兴“征服”台湾之师，清廷抗议无效。日军“征服”台湾后，日本政府乃派遣使臣大久保利通至北京向清廷提出交涉。此时，清廷否认“番民本属化外”之言，谈判几至决裂，旋得英使的调停，成立“双方承认台番为中国臣民，琉球为日本领土”的协定。中国赔偿日本五十万两军费了事。以后，清廷把台湾从福建分出，另置总督治理。

一八九五年中日战后，订立《马关条约》，割让台湾全岛及其附属诸岛屿与澎湖列岛给日本。当台湾被割让的消息传至全岛，台北同胞蜂拥到台抚衙门，劫留台抚唐景崧，并不准提出军火。愤怒之火当时燃遍了整个台湾。台湾名士邱逢甲（充工部主事）率全台同胞呈文吁请台抚，其文曰：

……和议割台，全台震骇。自闻警以来，

台慨输饷械，不顾身家，无负朝廷，列圣深仁厚泽，二百余年，所以养人心，正士气，为我皇上今日之用，何忍弃之？……臣等桑梓之地，义与存亡，愿与抚臣誓死守御。设战而不胜，请俟臣等死后，再言割地；皇上亦可以上对祖宗，下对百姓。如倭酋来收台湾，台民惟有开仗。

台湾同胞对清廷诘责愤怒的情绪，溢于言表。但清廷希图一时苟安，宁愿牺牲二百万人民，竟以“议和已定，无法挽回”，“台抗，京即危”等十三字，弃台湾土地与同胞为敝屣！

虽然，清廷轻轻的把台湾赠给敌人，但是台湾同胞却义无反顾的树起“抗倭”的旗帜。当由邱逢甲倡议台湾独立，公举台抚唐景崧为大总统，防务总办刘永福为副总统，建国号曰永清，改台湾衙门为内部，外部及军部。各置大臣一。唐景崧守台北，刘永福守台南。并整顿全岛团练，发放囚犯，募集军饷。发表如下的《布告》，其文曰：

……闻信之日，绅民愤恨，哭声震天。虽经唐抚师电奏迭争，并请代台绅民两次电奏，恳求改约，内外臣工，俱抱不平，争者甚众，无如事难挽回。……查全台前后山二千余里，生灵千万，打牲防番，家有火器，敢战之士，一呼百万；又有防军四万人，岂能俯首事仇？今已无天可吁，无人肯援，台民惟有自主，推拥贤者，权摄台政。事平之后，再请命中朝，作何办理。……惟台湾土地政令，非他人所能干预；设以干戈从事，台民惟万众御之。愿人人战死而失台，决不愿拱手而让台。

一八九五年六月，在人民赞助下，建立了民主国，共拥唐景崧为大总统。这种以民为主的政治组织，在我们这古老的东方，是在封建统治上插下的第一枚革命火箭。日本政府得到此种反抗消息，立刻命陆军中将能久亲王率陆军大举“讨伐”，于是日台两军开始战斗，结果台军卒以前无救兵后无械弹被覆灭了。

日本强盗既占领台湾，它统治台湾的方针，是屠杀与镇压。对台湾同胞的经济压榨，首先是强买土地，据一九二二年的调查，在全台的二二二〇三〇二的农民人口中，佃农占八七二九二一人，自耕农兼佃农占六五一六五二人。台湾农民失地的情形，可见一斑。由于农民的失地，更迫使他们坚决的走上抗敌的路子。

邱逢甲、唐景崧、刘永福所领导的革命斗争，虽然失败了，但台湾同胞的抗日斗争并未因之停止。一八九五年十月，林大北在宜兰首先起兵，义旗一举，万众奋起，革命空气，顿形紧张。在台北的农民，竟有取自己儿子的血，与同志歃血盟誓者。当时全台同胞，无不为此愚昧的热诚所感动。

从一八九五年至一九一五年的二十年间，台湾同胞反抗日本强盗较大的革命斗争，凡十二次，举其著者为：陈发的反抗斗争。一八九八年，陈率革命同志密谋进攻台南，不幸事泄，陈氏被捕，但其同志仍继续进行。五月三日，攻陷阿公居，进取其申，占据三角涌等地。四方革命志士闻风来投，卒以械弹不足，兵力分散的关系，为日军击溃，被处死刑者达一千六百五十九名，阵亡者不计其数。

一八九九年，台湾殖民政府将食盐，樟脑划归官营，全岛人民群起反对，詹阿瑞乃募集台湾志士三千六百余人在台中发动抗日的斗争，血战二日，卒以众寡悬殊，致遭失败，詹被残杀，其余被判处死刑者达一千九百人。一九〇七年，蔡青林组织“复兴中会”，在台北西部各地起义，连陷数县，参加的农民不下三万人，日本强盗乃倾全台的驻军，从事“讨伐”，在强弱悬殊之下，同样遭失败的运命，蔡本人及其重要干部悉数被捕，在北埔受拷讯，壮烈死难。此案被称为“北埔事件”。

一九一一年，我国武昌起义，推翻满清，建立五族共和，这个消息传到台湾，全台同胞不只欢欣鼓舞，而且更激发了革命斗争的情绪，在若干农村建立许多秘密革命小组，并以中国援兵到来与受中国册封号召民众，准备发动更大规模的战斗。因此，在一九一二年，以刘乾，林启祯为首的革命斗争在积极酝酿中，可惜事机不密，组织被破获，仓卒起事，而遭失败。此外，在同年中，有台南黄朝的革命运动，有南投陈阿荣的革命运动。一九一三年以罗福星，刘士明等十二人的秘密革命号召，在十日内，募集党员达九万二千五百余名。讵料事未举，革命机构，便被破获。五百七十余革命干部均上绞头台！

在这个期间的革命斗争，还限于知识分子狭小范围内的革命活动，不是群众性的，还不能算是民族解放运动。近代台湾的民族运动，肇端于一九一四年的欧洲大战，这个时候，台湾有了新式的制糖公司（约占台湾一切股份公司总资本之半数；台湾耕地几全为制糖公司所独占），有了现代的银行、铁路、运输、保险、电力、建筑等业，民族有产者集团在日资卵育下，逐渐的长成了，他们要求独占，从而要求解放。此际，主张台日人平等的“台湾同化会”成立了，民族有产者领袖林献堂参加了这个组织，他并向台湾总督请愿设立台中中学。一九二〇年在台湾出版一种《台湾青年》，不久改为《台湾》，一九二五年又改《台湾民报》，至此成为台湾同胞的喉舌，启蒙运动的推进机与民族革命斗争的枢轴了。一九二六年又有“台湾民众党”出现，其政纲是标榜确立民本政治，建立合理经济组织，与弥补缺陷的社会制度等等。

从这个时期起，台湾劳动者运动逐渐的开展，机械、铁工、木工、石工各业的劳动者都先后成立了工会，一九二八年，“台湾总工会”亦以崭新的姿态出现。总工会包括二十九个工会，会员达六千三百六十七人。自一九二七年起，劳动运动普遍全岛，高雄铁工厂的劳动者为了要求工资一度举行大罢工，翌年浅野水泥会社发生大罢工。在罢工斗争过程中，劳动者空前的团结起来了。

此时农民运动亦如火如荼的发展着。在高雄的凤山，农民为抗议制糖公司侵占土地事件而举行大规模的争议，并成立了“农民协会”，一九二六年建立“台湾农民协会”，并在全岛各地设立分会，拥有会员二万四千一百名。

当农民运动高涨时期，“台湾农民协会”派遣代表向日本国会提出关于限制收买“土地问题”的请愿书，但无结果。一九二七年，大屯，新州与台中各地农民反对总督府的“土地产业政策”，在各地发生了骚动，捣毁日本警察署，包围日本拓殖公司。殖民者用最残暴的手段，来镇压各地的农民的直接行动。在他们的斗争中，引起日本农民组合与劳农党的同情和援助，并派代表参加“台湾农民协会”，帮助他们解决问题。

然而一九三〇年以后，台湾的革命运动在殖民者的高压下暂时消沉了，但还是处在“三年一小战，五年一大战”的动荡局面。一九三七年芦沟桥事变爆发，接着燃起“八·一三”的战火，在祖国的台湾独立革命党，认为祖国抗战胜利是台湾解放的保证，于是确定“十大行动纲领”：

（一）发动台胞抗拒缴纳赋税；

（二）反对抽壮丁来华作战与开垦；

（三）已被征来华的同胞组织谋变；

（四）破坏台湾的生产和交通；

（五）扩大阿里山的游击区；

（六）组织义勇队参加祖国抗战；

（七）发动台湾罢工、罢市、罢课运动；

（八）扩大反法西斯宣传；

（九）组织韩、日、台反法西斯大同盟；

（十）统一台湾革命组织。

在中国抗战之后，台湾同胞备受日寇的暴敛横征，固不待言，尤其大规模征兵把他们开到祖国各战地充炮灰。这愈激起台胞的愤怒，他们在全台组织秘密的“反叛”运动，从事各种破坏工作，并设法阻止日本强盗运出军火，同时在阿里山建立了游击区，组织了若干游击支队。

一九四一年，台湾革命领导者在重庆成立“台湾革命同盟会”，企图把台湾各个团体统一起来。现在这种工作在逐渐的开展着。一九四三年中英美的开罗会议，在会议公报中已被确认台湾与澎湖列岛归还中国了。台湾眼见就要回到祖国的怀抱！

三　越南民族的革命运动

从一八八三年，越南政府投降，并与法国签订了“预订条约”。过了几年法国全权大使自巴黎携来最后决定的条约原文，法国取得在顺化设置驻扎官和驻扎军队的权利。顺化沿河所有的要塞全被拆毁。越南的关税管理权亦落在法国行政机关的手里。越南的许多官吏要受法国驻扎官的控制；越南皇帝得依照驻扎官的要求，撤换对法国不利的官吏。这时，东京首先变成了法国殖民地。

法国虽在东京建立了统治权，但却遇到了越南民众的顽强反抗。他们曾与中国的军队联合，给予法国军队几次的严重打击。当时法国舰队在海军大将库尔勃指挥之下，驶近中国海岸。法国军舰在福州海面击沉了廿四艘中国大帆船，再驶闽江口后，破坏了我沿岸的要塞，对我同胞大肆屠杀，不久，封锁我台湾，并占领澎湖列岛。

法军占领我国领土地后，我国军队开入东京。东京越南人民热烈欢迎，以为救星已到。在中国军队渡河的期间，附近的越南人民在很短的时间，就征集了三百多艘帆船。这批军队的统帅是刘永福。他热烈的号召越南人民，合力的为消灭法国侵略者而斗争。每人获一法国士兵的头颅，赏银五十两，一个军官的头颅，赏银万两。这振奋了越南的人心；而中国军队的士气，亦为之大振。在东京获得许多次大捷，在红河三角洲大部地方的法军，全被肃清。这时法国损失了几百万法郎的军费。法国此际乃不断的向越南增加援军，我国正式对法国宣战，老将冯子才为统帅，身先士兵，大败法军于谅山。同时越南军队亦相应而起，声势大震，大有一鼓荡平法军之势。然而昏聩透顶的清廷，竟在捷报传来之际，突下停战撤兵之旨，断送了越南。一八八五年与法国在天津订结媾和条约。其内容重要者如下：

（一）中国承认法国与越南所订之一切条约，无论已订或将来所订，均听自便；

（二）中国择劳开以上谅山以北二地，辟为通商口岸；

（三）法国撤退基隆，澎湖之军队；

（四）中国将来筑造铁路时，得雇用法国工程师；

（五）两国另派员勘定中国与越南之边境，并协定通商细则。

这个条约，完全承认越南为法国所有。从此法国对越南就着手军事的占领了。

法国自占领越南全境之后，各地的政权皆付托于海陆军官之手，对反抗的越南人民大肆屠杀。东京的人民首先组织游击队反抗，并且屡给法占领军以重大打击。他们的胜利，鼓舞了顺化的爱国志士，使他们团结在汤得台的周围，准备发动一个大规模的反法国统治者的武装斗争，连把越南皇帝都拉到这方面来；皇帝不顾妥协派的阴谋，决定实行武装起义的计划。

一八八五年七月五日夜，在顺化的起义开始了。起义的民众袭击法军驻扎的卫城。公使馆附近的房屋，全被击毁。法军虽在仓卒间应战，但对组织散漫与武装恶劣的起义队伍，还是占优势的。因此，起义只支持两天便为法军压平了。

差不多在同时期，柬埔寨与交趾支那也发生了许多次的起义。在西贡，领导起义的是个屠夫，他团结了城市的小商人手工业者与四乡的农民，企图把法国统治者驱逐出越南。但没有几天，起义便被压平，这位屠夫亦被枭首；可是这次起义却获得越南各地的强烈反响。

法国殖民者为着稳固在越南的统治，不停的对越南北部实行武装镇压。并广泛的采用政治的贿赂，挑拨离间与间谍的活动，想从内部来破坏越南人民的反抗运动。但是反抗运动日见昂扬，这是法国殖民者所不及料的。

原来，十九世纪末叶与二十世纪开头，革新与革命运动，发展于邻近越南的诸国。在中国，有康、梁的变法运动，有国父领导的革命运动。在菲律宾有独立运动，在埃及有抗英斗争。这些，均足以激发越南人民的民族意识，和推进民族运动的高涨。

此外的基本原因是：法国对越南的强度的经济榨取。在法国统治的最初几年间，越南还是工业原料的供给地。以后法国的独占资本把越南的基本农产品——米，变为它的超额利润的源泉。越南也被改为专种米稻的殖民地。由于法国殖民者对农民作惊人的榨取结果，米价狂跌了。米被输往欧洲、非洲，尤其输入香港，转到中国和日本。

由于法国资本之侵入越南，它的闭塞的自然经济被破坏了。在东京，尤其是交趾支那，制造农产品的企业发展了，在西贡与土伦，都有大规模的米谷贸易与工业制造厂。随之，越南也产生买办性的资产阶层。更以法国人在越南的重要城市开办学校，使越南的有产者的子弟，获得受现代教育的机会，于是新的知识分子被孕育出来。在法国殖民者对越南人民不断的榨取和越南人民不断反抗的条件下，有产者知识分子的新干部，开始要求统一的越南，与解脱殖民地的枷锁。首先在东京发动起来，这是越南民族运动的诞生。

一九〇三年，知识分子潘是汉与阮诚相谋，奉安南王族畿外侯疆柢氏命，秘密组织国民党，并经常与群众运动保持联络。一九〇五年事泄，疆柢、潘是汉等逃亡日本。法国政府即向日本要求引渡这些革命分子。疆柢等又相率从日本逃出。但潘是汉卒为法国官宪所捕获，解至安南，交付审判，幸得多数青年营救，未遭刑戮。

一九〇八年，越南农民反对苛捐杂税与官吏压迫的怒潮，蔓延各地，农民剪短头发，以示抗议。在安南南部许多省份中的农民，大半削发，当时叫做“短发运动”，这个运动的扩大而成为群众的示威和请愿游行。

同时在河内，发生一件毒杀法国驻军为目的的阴谋，阴谋被发觉以后，参加者全被处死。一九一〇年革命者戴当发动公开的反法斗争，把革命群众集中在自己的旗帜下，声势浩大。但不久便被殖民者压平。翌年革命领袖戴当竟被两个民族叛徒出卖，殖民政府斩去他的头颅悬街示众。此后，越南的民族革命运动间歇一个时期。

一九一四年，欧战爆发，给越南革命泄以复苏的机会，独立的呼声，弥漫全国。各地的起义，亦屡起屡覆。一九一五年八月，梁文干在东京发起革命秘密组织，未几事泄，维新王第十一，亦被株连，翌年被废，流徙于南洋群岛之留尼汪群岛。其父成泰王亦被废。

在第一次世界大战期中，越南民族运动的浪潮，时起时伏。一九一七年，梁玉娟起义于泰阮。一九二三年，范鸿泰在我广州沙面阻击越南总督。其后，越南各地的农民，不断的暴动，各大城市工人的罢工斗争，亦接连发生。一九二四年，南定纱厂五千工人大罢工，夏威烈公司全体雇员的大罢工。同年括林五千余农民的大暴动，以及高明、高绵市民的示威游行。

民国十四年（一九二五年），中国准备大举北伐的时候，在广东，省港的大罢工，劳动运动迅速的向前发展，农民的反帝斗争也汹涌澎湃。这个革命洪流，推动着越南的民族解放运动。就在这一年，西贡兵工厂的工人，发动了罢工，拒绝给法国修理军舰，使它无法干涉中国的革命。

一九二六年，越南革命志士——潘佩珠、梁世传等革命领袖，鉴于中国革命的紧张，乃在巴黎组织越南民族独立党，开始作有组织有计划的活动。一九二七年，巴黎的越南留学生复将越南民族独立党大加扩充，订定“根据各文明国的革命先例，反抗压迫者与民族自决的原则，谋越南民族的真正独立”的党纲。同年参加在布鲁塞尔（Bruselles）开幕的反帝大同盟，表明愿与全世界被压迫民族与被压迫的阶层亲密合作。

一九二八年，梁世传秘密返越南活动，一度间歇的民族运动，又高亢起来。迨一九三〇年，在全越范围内展开了反对法国殖民者的斗争。其性质与范围，和以前都有显著的变化。斗争的开始，就表现得非常猛烈。在交趾支那，在东京，均发生大规模的起义。

一九三〇年二月，民族独立党员纷纷潜入河内，组织革命队伍，袭击警察署、宪兵队、法院等。殖民政府当时宣布戒严。在河内，红河大桥的法国守备兵，悉为革命队伍所歼灭。各地起义接连发生后，殖民者惊皇失措。革命队伍占领了河内的安沛市，东京中部的黑河渡船场、兴化，南陀各地，于是越南民族革命的旗帜，便在这些地方招展了。越南人民站在这些旗帜下面的加多了。殖民者开始向越南民众就用最残酷的屠杀，以镇压各地的起义。经过二十多天的“讨伐”，反抗的大潮退落了。

这次较大规模的民族革命斗争，组织了成千累万的革命民众，从此，他们认识只有自己的集体力量，从事斗争，才能给敌人以重大打击。虽然蒙受重大牺牲，但这种牺牲是有最高的代价。

此番革命斗争的终结，据殖民政府的公布：重要分子被杀戮者达三十六人，判处死刑者四十五人，终身苦役者九十九人。其余死在火线上的革命者，难以数计。殖民者每占一地，即屠洗一地，无辜人民被屠杀者亦难以数计。

一九三〇年的起义，是越南民族解放运动史上划时代的一页。这一次运动虽然失败，但经过这次失败之后，以民族独立党为首的各党派，成立了“革命同盟会”，在全越各地秘密发展革命的势力。

一九三一年后，“革命同盟会”提出了四个基本口号，作为以后革命活动的南针，这四个口号就是：

（一）援助中国；

（二）坚决的反对日本帝国主义；

（三）彻底的摧毁法帝国主义的统治；

（四）争取越南的完全独立。

一九三四年，“革命同盟会”为了扩大和巩固越南的革命力量，又成立了“东洋大会”——好像印度的国民大会一样的机构。

一九三九年欧战爆发，越南人民的革命情绪，更为高涨，法国殖民者为了贯彻镇压政策，乃大施高压手段，在东京逮捕革命党人与一般民众达三万，被其拷打而死者数千。迨一九四〇年六月，法国对纳粹德国屈降，它对殖民地已失去控制能力，越南民众在"革命同盟会"领导之下，又在各地开始了武装的斗争。一九四三年以来，越南各地人民在日寇与傀儡的压迫奴役之下，逐渐的觉醒，他们深深的感觉到：非团结就不能生存。过去因为内部的不团结，不合作，致被各个击破，现在他们开始从下层团结起来，广大农民卷入革命的漩涡。金边、西贡各地企业工人，纷起罢工。他们在中南圻的森林地带组织了一支游击队，从事反抗敌人。一九四三年七月，越南人民成立了临时军政府，并颁布了《民族运动纲领》，它具体规定："联华抗日。拥护同盟国家，争取越南的真正独立解放。"

四　菲律宾人民的革命运动

一五二一年，麦哲伦发现了菲律宾群岛，西班牙不久就占领了它。从一五二一年至一五六一年的四十年间，西班牙先后派遣三次远征队“剿服”了菲岛土人。这时菲岛是处在原始公社制解体，奴隶制昙花一现和封建关系刚刚发生的阶段。西班牙不仅给菲岛土人带来了灾难；也带来了“文明”：就是百分之九十左右的人民已受了基督教的洗礼，西班牙的影响，渗透群岛的最偏僻的区域。

西班牙在菲律宾群岛的殖民政策，许多地方和它在美洲的殖民政策相同。所不同的就是在菲律宾群岛没有大量的西班牙侨民，没有形成白人系的土人阶层。这里代表西班牙势力的是军人，官吏与僧团（包括：天主教徒，奥古斯丁教徒，法兰西斯教徒，耶稣教徒等），在几十年间，他们获得了大量的肥沃土地，而僧团变成了封建领主，占据了广大的农田，菲律宾的广大农民沦为佃农，他们租种僧团的土地，没有一点权利，完全听从封建领主的支配，除经济榨取之外，还要受宗教“圣礼”的勒索，而政治的压迫，和思想的束缚，更使他们愤懑。在这个时期，发生了改良运动，它为菲律宾知识分子所倡导——在人民反对西班牙压迫者斗争中发展着，然而改良运动既不能消灭人民的愤懑，更不能满足他们的要求。各地不断爆发着农民反对地主—僧团的自发性的起义。农民的斗争，经常采取宗教宗派运动的形式，其中有许多迷信色彩，“红衫”运动就是个典型的例子。

由于菲律宾农民反西班牙压迫者斗争的普遍与加强，迫使西班牙统治者在政治上不得不有所让步，一八六八年，西班牙自由主义者托列（Torre）被任命为菲岛总督。在他的统治下，首先废除了残酷的检查制度，限制僧团的权力，允许有集会结社的自由。此际，僧团沉默了，但它却在暗地里准备着反托列的斗争。一八七一年，托列为残暴的伊斯基多（Iskierdo）所代替，托列的自由主义的原则，全被推翻，他与反动的僧团密切合作，宣布“一手执十字架，一手提剑”，来统治菲律宾。经济上的榨取与苛捐杂税的加强，政治上的逮捕与放逐的频繁，激起了菲岛人民的愤怒，翌年一月，在甲米地爆发了起义。“杀死僧侣”,“杀死西班牙人”的口号，第一次响彻整个菲岛。

起义的农民，杀死了无数的西班牙军官，夺取了停在甲米地港口的西班牙舰队，纵火焚毁西班牙军官的官舍。他们准备夺取马尼拉。然而由于组织的不健全，领导的不够，以及准备的不充分的情形下，起义的队伍被压平了，他们的四十一个领导者，全被血手伊斯基多，在马尼拉广场处决了！

事后，菲律宾殖民者对菲岛人民的压迫，愈加厉害，许多知识分子被逮捕，被充军，三个改良主义的牧师被以铁链缢死，就中八十高龄的戈美斯之死难，引起全菲人民的义愤。那些慷慨赴义的烈士的名字，至今还是反对外族奴役的斗争的旗帜。

但是血腥的镇压，抑制不住被压迫民族的反抗怒火，尽管开头是星星之火，最后总会燎原的。在甲米地起义被压平之后，表面上菲岛人民虽似慑服，但实际却在准备更大的反抗斗争。一八九二年，在爱国诗人黎撒（Risal）领导之下，秘密的组织“菲律宾同盟”，由黎撒起草同盟的纲领，规定以和平的方法，争取菲律宾的经济与政治统一的道路。要求保障不受非法和暴力的迫害，实施必要的改革，以及发展农业与工业。同时还制订以下的入盟的誓词：

（一）反抗暴力压迫；

（二）提倡民族平等；

（三）解放妇女；

（四）爱护国家。

最初的盟员，大半是知识分子，他们的宣传亦限于小有产者阶层。“菲律宾同盟”成立不久，黎撒被捕，被放逐在荒岛上，从此他和民族运动脱了节。继续领导同盟活动的是代表菲律宾有产者集团分子，他们害怕殖民政府的压迫，便自行限制组织的活动。一八九三年，“菲律宾同盟”的活动停止了。代之而起的是波尼法器（Bonifacio）所领导的“同盟会”。会员分三级，每级在集会时有秘密符号与特殊方式。第一级取名为“盟员”，其暗语为“人民之子”；集会时戴黑帽。第二级取名“士兵”，其暗语由三个殉难的牧师名字缩写而成；集会时带绿帽。第三级取名“爱国者”，暗语为“黎撒”；集会时带红帽。入会的会员，要举行很复杂的仪式，在誓词上用自己的血签字，保证对组织及其主义保持忠实。同盟会的基本信条是：

（一）保护被压迫者；

（二）忠诚爱国。

他们的戒律是："为救国而死，是无上的光荣和幸福！"

一八九四年是"同盟会"发展的转捩点，它与各地农民运动的小组，取得了密切联系，从此，"同盟会"便变成群众的组织了。其斗争的主要目标是争取菲律宾民族的独立！当这个组织扩大，势力益趋雄伟的时候，波尼法器和他的同志们在秘密会议中，通过了定期起义的决议。并推黎撒为领袖，秘派代表敦请他出来领导这次起义。但是黎撒却拒绝这个请求。

同盟会准备起义是秘密的。可是事前，马尼拉的秘密印刷机关，不幸被破获，抄去许多秘密文件。此际，整个组织有被消灭的危险。起义的日期还未到，准备还不充分，可是不能不提前举行了。波尼法器率领他的同志在一八九六年八月廿四日于巴林达瓦克（Balintavak）城开始了起义。廿七日，起义的队伍，击溃了西班牙的驻军和宪兵。在甲米地与马尼拉各地的民众蜂拥而起，以牛刀镰头做武器和西班牙军队血拼，在许多地方建立了"同盟会"的政权。西班牙的正规军接二连三的失败，殖民者乃用最残酷的手段，屠杀菲岛人民，并从西班牙调来大军，从事剿讨。在马尼拉逮捕几百个参加改良运动的菲律宾地主和资产阶层的代表，并没收他们的财产，同年十二月三十日把黎撒处死。黎撒死讯传出后，全菲人民大为震怒。

起义的节节胜利，菲律宾的有产者集团都起来拥护起义，殖民者的恐怖政策破了产，起义的范围扩大，势力亦增大了。李维拉（Rivera）将军被派到菲岛任“讨伐”工作，并进行政治的招抚。可是起义的斗争还是继续进行。正在这个紧急的关头，菲律宾的革命阵营产生了纷歧的意见，致削弱了起义的力量。原来，领导“同盟会”的，一个是知识分子波尼法器，一个是小地主出身的阿干那多（Aginaldo）。前者是人民底层的代表，后者是有产者集团的代表。当起义获得了初期胜利的时候，阿干那多就捏造反革命的罪名，加在波尼法器的头上，交给军事法庭审问，并判处死刑。他随把起义的领导权抓在自己的手里。当李维拉再度揭橥政治招抚的条件：实施行政与法制的改革，保障言论与集会的自由，调整租税，驱逐僧团等，便动摇了阿干那多。一八九七年十二月十四日，阿干那多领导的“同盟会”于是向西班牙殖民者投降，并缔结《李 · 阿协定》，巴林达瓦克起义就这样结束了！可是“同盟会”领导者的投降，不是说菲岛人民的反抗斗争也结束了。相反的，各地的游击运动的怒潮掀起来了。原因是：当协定的墨沈未干，菲岛总督便毁弃条约，大捕“同盟会”会员，遂又激起反西班牙统治的斗争，阿干那多与其同党再起，以香港为根据地，创立“爱国社”，与菲岛各地的游击队建立经常的联系，大规模的与殖民政府抗争，一八九八年三月围攻宿雾（Cebu）。

就在这个时候，美国以“保护被迫压民族的权利”姿态，出而干涉西班牙殖民政府的举措。一八九八年四月廿三日，美国对西班牙宣战，五月一日，美国舰队在马尼拉湾歼灭了西班牙分舰队；“爱国社”在香港号召菲岛人民欢迎美国舰队。阿干那多从香港乘军舰回到马尼拉，菲岛人民热烈欢迎。此时，菲岛总督不得不表示让步，宣布成立“菲律宾军民谘议会”，但这种措施已不能满足人民的要求了。同年六月十二日，“爱国社”在甲米地宣布菲律宾独立，阿干那多被推为全菲最高领袖。并试行新政，设置军政，民政及财政三部，成立菲律宾国会，召集各省代表会议。迨至八月，即以菲律宾共和国的名义通告世界各国，惜无一表示承认者。

菲岛正在组织共和政府之际，不料西班牙与美国在巴黎举行会议。西班牙声明把菲律宾，西印度群岛及太平洋上的所有岛屿，让给美国。菲律宾阿干那多政府所派遣的代表竟无权列席，即与美国代表相见一面，亦不可得。消息传来，菲岛人民大哗。当美军大批开到菲岛实行接收时，美菲两军立刻冲突起来，血战于马尼拉。结果，菲军势孤力单，惨遭失败，阿干那多亦被俘虏。自此，菲岛重新为美国的殖民地了。

美国既取得菲岛，它利用封建地主与买办的帮助，着手行政机关的组织。一九〇〇年菲律宾的亲美派组织了联邦党，该党的政纲是主张菲岛并入美国，和平的解决美菲问题。在美国统治菲岛过程中，联邦党充分尽了充当主要工具的作用。美国为了笼络菲律宾的上层分子，一九〇二年，特地组织一个“菲律宾委员会”。同时，美国政府通过了《菲律宾法案》。该法案宣布：菲律宾人民的人权与财产权的不可侵犯性；并有民主自由，市政自由和土地均分等权利。

可是，菲岛人民反抗美国的斗争，并未因之中止，游击战争还是在全岛各地发展着。当一九〇三年美国总统正式宣布菲岛游击队已经停止活动时，可是半个菲岛仍在游击队手里。而工人运动亦在蓬勃着，他们的第一个组织是“工人联合会”，与游击队有着联系的。

美国在菲岛经过了六七年的军事的和政治的措施，“秩序”算是恢复了。一九〇七年成立了改良主义的政治组织——民族党。亲美的联邦党改为进步党。此时正式成立议会，议员以民族党员占多数。民族党为了获得广大人民的拥护，他们提出了菲律宾独立的要求。

菲律宾民族党在争取民族独立的斗争中，是倾向于美国民主党的政策，因该党赞助菲岛独立，且将之列入政纲。一九一三年美国民主党领袖威尔逊任大总统，民主党在国会中获得大多数议席，民主党议员哈里逊（Harrison）被委为驻菲总督，对菲岛人民的参政权，略加扩充，民族党的重要人物亦被罗致在“菲律宾委员会”中担任要职。一九一六年三月，民主党议员琼斯（Jones）向国会提出菲岛自治案，称为《琼斯法案》（*The Jones Act*），旋被国会通过，但对菲岛的独立，却无定期。

《琼斯法案》通过后，菲岛人民独立的要求，更为迫切。一九一八年在巴黎和会席上，美总统威尔逊提出的民族自决原则，已被适用于殖民地。和会之后，波兰、捷克、南斯拉夫等民族，先后成立了新国家，菲岛人民乃派代表廿九人赴华盛顿请愿，要求独立，结果竟成泡影。

一九二〇年美国共和党执政，对菲岛的统治，一反从前的措施，先后以乌德（Wood）、史汀生为总督，都以菲人尚无自治能力为言，压抑菲岛人民的独立运动。但是菲律宾人民的独立斗争，并未因之间歇，而且愈趋愈烈。一九三〇年菲岛人民发表召集第一次菲岛独立大会宣言，并举行第一次独立大会。各地民众自动抵制美货，马尼拉的学生举行大罢课与游行示威。独立大会通过了“独立要求十四条”，从此，菲律宾的独立运动便如火如荼的发展着。

一九三四年，美国国会通过《达丁斯修正法案》，承认菲岛人民设立自治政府，并开始草拟宪法，一九三五年，菲律宾新宪法通过于菲律宾两院，同年六月四日，公民总投票的结果，赞成新宪法者占十分之八。宪法成立后，依法于一九三五年九月十七日举行选举正副总统。奎松（Manuel Luis Quezon）被选为总统。美国派麦克纳特（Panlv. Macnutt）为驻菲高级专员。一九三八年五月，举行美菲联席委员会，会后作成“报告书”，内中顶重要的建议是：美国对菲律宾所课的税则，应逐渐施行，至一九六〇年完全生效，以代替一九四六年完全生效的原议。至此，菲律宾的民族运动告一阶段。一九四一年太平洋战争爆发，英美法荷各国在太平洋的殖民地及其他半殖民地的国家，都先后被日寇占领，菲律宾是亚洲最后沦胥的国土之一，巴丹一役，激昂壮烈。迄今菲岛已沦陷两年，有革命斗争传统的一千四百万人民，虽备受熬煎，可是抵抗日本强盗的侵略亦持久不变。一九四三年十月六日，美罗斯福总统咨文国会，声明菲律宾的独立，或可因战争命运的好转，而及早实现。他并请求议会授权，俾能与菲总统协商，宣布菲律宾独立之日期。一九四四年六月，美众院通过了法案，准许菲律宾独立日期提早（按：以前规定为一九四六年七月四日）。同月底，罗斯福总统签署这个法案，保证美国把菲岛日军驱逐出之后，立予菲律宾以完全独立。

五　爪哇人民的革命运动

在“美洲土著居民被剿灭，被奴役化，被埋于矿坑之内”的时期，资本主义时代的曙光已经露出来了；西欧殖民国家建立了殖民制度。在这制度的后面，是利用国家的权力，集中的有组织的社会力量，并用穷凶恶极的暴力向殖民地掠夺。一位欧洲革命哲人在其经典著作里描绘出这个时期的残暴的殖民地的事例。他说：

> 关于基督教的殖民制度，有一位专门研究基督教的威廉·霍维特曾说：“世界各地有所谓基督教人种，他们对于其所能征服的一切种族所加的残酷与暴行，非世界史上任何时代，任何凶残，任何无教育、无情、无耻的人种的暴行所可比拟。”荷兰是十七世纪资本制度的标本国，它的殖民经营史，“展示了一幅极度无信义，贿赂，虐杀，卑劣的图画”，它的明显例子是：荷兰人为要获得在爪哇使用的奴隶，竟在西里伯斯岛实行一种盗人制度（System

Des Menscohendiebstehler)。它为达到这种目的，并训练一批盗人的人，如：盗贼、翻译者、贩卖业者等，都是它的代理人；而土著的王侯，即为其主要的贩卖者。被盗来的青年壮丁，在准备好奴隶船送出以前，都被拘禁在西里伯斯岛的秘密监狱中。……荷兰人为要攫得麻六甲，曾贿赂葡萄牙的总督允许他们（按：指被盗的青年们——笔者）进入市内，一六四一年获得了总督的允许。为要“节省”二万一千八百七十五镑的贿赂金，而把他们杀掉。他们足迹所至，随即发生荒废与人口消灭的现象。爪哇的外南梦（Banjoewangi），在一七五〇年居民达八万以上，迨一八一一年，仅余八千人。这真是称心如意的商业。

一七九八年，荷兰东印度公司便掌握了整个南洋群岛，并以爪哇为统治中心，在这里设置总督：丹多斯将军是首任总督。他开始布置南洋群岛的防务，强迫爪哇的封建领主招募新兵，编为奴隶军队，荷兰的基督传教师就在西里伯斯北部充当募兵官。

丹多斯将军为了巩固爪哇，他在爪哇北岸建筑工事与普遍的敷设公路，这些工作的进行，是采用爪哇人民的强制劳役。当完成横贯爪哇东西几千公里的公路，就死亡了千万的农民，万隆（Bandoeng）公国的苏丹，曾供给一千五百个土人筑路，结果无一人生还。当丹多斯将军再向他索要土人时，苏丹因为害怕土人暴动，便拒绝了他的要求。因此，丹多斯将军就派兵占领了万隆公国，强迫苏丹退位，而由荷兰人的走狗来替代他。

工事与公路的设置，是需要巨额支出的，他怎样弥缝这种支出呢？一面保存榨取爪哇人民的方法，一面圈占爪哇人的土地，把它卖给欧洲人与中国人。同时并沿用爪哇封建领主的传统办法，加紧榨取农民。

爪哇农民在重重压榨之下，生活是极其困苦的。他们和荷兰人以及欧洲人所订立的各种租地契约，都处在不利的地位。而本地手工业亦以在欧洲机器生产品输入的影响下，急剧的破产了，手工业工人的命运是失业与逃亡。人民是普遍的贫困和普遍的不满。这时日惹（Jogjakarta）的公爵第朴·尼戈罗（Dip Negoro）首先组织爪哇农民及手工业者发动反对荷兰统治者的斗争。他以保卫伊斯兰教反对欧洲人民为号召，酝酿在爪哇起义。

第朴·尼戈罗在爪哇人民中很久就是反对欧洲统治者及其走狗的领导人物，深得人民的信仰。当他出来号召，万隆日惹的人民就纷纷站在他的旗帜下。

荷兰统治者眼见第朴·尼戈罗的势力，益趋扩张，威胁着荷兰殖民政府与在爪哇的统治，他千方百计的笼络第朴·尼戈罗，但是失败了。一八二五年荷兰总督企图在第朴·尼戈罗的领地以武力拘捕他，但却促成了爪哇的农民起义，几百万农民团结在第朴·尼戈罗的周围，几千封建领主也率领自己的队伍来参加起义。起义的人民队伍冲向万隆与日惹的首府，苏丹逃亡；并且克复了日惹。第朴·尼戈罗就被拥护为苏丹。

起义波及许多省份，各地组成了无数游击队，一时声势浩大，使荷兰驻扎军穷于应付，而爪哇的奴隶军队又有许多投到第朴·尼戈罗那方面去，更增加起义的声势，他们接二连三的打败殖民政府及其走狗的军队，并获得无数的枪械、马匹及弹药。这样的斗争，继续了五年。

起义的队伍，主要的是农民和手工业者，其次是爪哇各地的封建领主。在反对荷兰统治者的斗争中，最大的弱点，是散漫，缺乏统一，领导不集中，其次，封建领主缺乏胜利的信心，没有坚持性，以致动摇，最后又跑到荷兰统治者那方面去了。起义的队伍渐渐的分化，加以殖民政府用欺骗利诱的政策，收买各部封建领主与游击队的领袖，并对农民宣布解除租地禁令等等。同时以武力征剿，他们逐渐把起义占领区域收复了。荷兰高科将军（Dekore）在征服区域中，建筑了堡垒，在堡垒之间，筑起公路，经常驻有十四个流动纵队，进行“讨伐”游击队的工作。一八三〇年荷兰统治者和第朴·尼戈罗谈判，允许他在日惹享有不可侵犯的权利，但须全部爪哇服从荷兰统治，第朴·尼戈罗拒绝了这个提议，可是荷兰统治者不顾信义把第朴·尼戈罗拘禁起来，并且送到荒岛上。爪哇人民初期的反抗荷兰的运动，就这样结束了。

然而，爪哇人民这次反抗荷兰统治者的斗争不是终结，而是开始。一九〇五年，又爆发了农民反对强度榨取的斗争。起义的浪潮，从爪哇的中部发展到西部，在起义的风起云涌中，出现了“正义藩王”的农民领袖；他们向农民宣布：解脱外族压迫，免除租税与国家徭役。这时各地流行着赛民（Samin）的主义，此主义的旨趣，主张爪哇所有的土地、森林、牧场、矿产等，都为农民所有。由农民选出他们的管理人来掌理这些共有物——这些东西是公众的，利益也归公众享受。赛民否认荷兰殖民政府，否认暴力统治，号召抗税。他主张用普遍的反抗殖民政权，来达到解放爪哇的目的。赛民的主义深入人心，一九〇五年的起义，就在赛民主义影响之下爆发的。起义开始，就越出和平的范围，农民夺取土地、森林和牧场，拒绝付税，反对荷兰统治。他们虽在荷兰统治者的警察压迫之下，也不退缩，再接再厉的坚持着反抗斗争。在南望（Pembang）的监狱，挤满了被捕的农民，他们拒绝法庭的审问，宁愿上断头台。一九〇七年，农民运动被压平了。赛民和八个农民领导者悉被放逐。这次农民运动虽不满两年被压平了，但它却给未来的民族解放运动奠下了基石。

一九〇八年，爪哇自由主义者青年赫索托（Wahidin Sudiro Husodo）组织“良鹄社”（Budi Utomo），这个组织开头是全爪哇的教育组织，它对于团结印度纳西亚群岛的青年学生起着决定的作用。其时各学校差不多都成立“良鹄社”分社，是年十月，赫索托召开“青年爪哇”代表大会，在这次代表大会上，“良鹄社”的目标被扩大了，它的宗旨不只限于“募集贫苦学生奖学金”，代表们进一步提出了“爪哇和马都拉（Madura）国家民族的发展”及“振兴艺术和科学”的重大任务。这充分反映爪哇大部人民激发了民族意识与要求新文化。他们的政治要求，是与欧洲人平等，爪哇人应得较好的工作和报酬。

“良鹄社”这时领导权操在封建官僚手里，它还不是群众的组织，但它却为爪哇人民的民族团结运动奠下了基础。

一九一〇年以后，代表爪哇新兴的有产者集团的政治组织，是“回教同盟”，最初是“互济社”的性质，盟员入社要举行秘密的仪式，与对回教绝对的从属。由于宗教上的从属性，便促成印度纳西亚群岛各民族代表团结于“回教同盟”的周围，跟着“回教同盟”变成群众的组织。一九一一——一二年的中国革命，给予爪哇有产者集团一强烈刺激。爪哇华侨的革命组织，影响着“回教同盟”——它的泗水分会并且参加了华侨反对荷兰殖民政府警务措施的政治示威。

一九一三年春，“回教同盟”在泗水开第一次代表大会，主席蒂奥克罗明托（Tiockrominto）开宗明义的说：“‘回教同盟’不是政党，不是许多人所理想的是为革命而斗争的党。……我们对政府要保持忠诚，对荷兰人的统治要表示满意。说我们捣乱，是不对的；说我们要反抗，也是不对的。”“回教同盟”的政治纲领与“良鹊社”的，没有甚么不同，它的领导者的目的，是在实行渐进的改良主义。

虽然“回教”同盟的领导，受了改良主义的限制，但是它的各地分会都成为团结民众的中心。巴达维亚的分会，在一九一三年中就有一万二千会员。农民、手工业者、小商人、工人、职员，都按其各自理解的能力来接受“回教同盟”的宣传。因此，在许多地方爆发了农民暴动，和手工业者自发性的罢工。同时，爪哇的职员成立了职工会。在苏门答腊，东南婆罗洲，也发生了抗租斗争与夺取土地的骚动，最后扩大成为武装起义。他们共同的斗争口号是：与欧洲人平等，反对压迫者，反对苛重地租，与同工同酬。从此，展开了革命的民族民主运动。

一九一四——一五年世界第一次大战爆发，爪哇的经济呈现着疲滞，一般人民的生活贫困化，遂引起全社会的不安。赛民主义倍受尊崇，他的信徒又把运动恢复起来，与“回教同盟”的革命斗争合流。各地农民爆发为自发性的暴动，城市里发生了工人罢工。在许多民族主义性的组织里，产生不少出色的领袖，萨玛特（Samat）就是其中之一。他说：农民是上等阶级，他们应该过问政治。并且预言：将有两个爪哇国王出现——一个在东，一个在西：所有荷兰人和印度纳西亚人，都要被杀。在萨玛特教义中，把赛民的暴力否定论，改为斗争的号召。

一九一六年夏，“回教同盟”，在万隆举行年会，出席的代表约八十余，这次年会被宣布为第一次全国代表大会。以后在别的岛上也成立了“回教同盟”支部。在极短期中，盟员人数就增加到八十万。在“回教同盟”影响之下，各地产生了“农民协会”的组织。是年在苏门答腊的占碑（Jambi）发生了农民反对苛捐杂税与徭役的斗争，在巨港（Palembang）发生了工人与手工业者的罢工。荷兰殖民政府面对着爪哇日益壮大的民族解放运动，望而生畏，于是一面沿用镇压政策；一面觅取妥协途径，首先批准“回教同盟”总部的组织盟章，随后成立国民参议会——由四十八人组成，其中一半议员由地方谘议机关推选，另一半由总督委任。

爪哇的新兴有产者集团依靠日益壮大的民众运动，提出许多政治要求，使荷兰殖民政府不得不表示接受。一九一七年十月，“回教同盟”召开第二次全国代表大会，这次各地的代表，以三宝垅（Samarang）的支部代表塞蒙（Seimun）最有功绩，他在“回教同盟”与社会民主联合会，起了很大的联系作用。

社会民主联合会起初只有欧洲知识分子参加，最后则有：革命的社会民主派，爪哇革命左翼，印度纳西亚的劳动者与知识分子。帝俄坍台，社会民主联合会更形坚强了。以塞蒙为首的“回教同盟”左翼，开始积极反对议会活动的渐进的机会主义的领导，并坚决反对“回教同盟”参加国民参议会。

在第二次全国代表大会席上，通过了实行印度纳西亚群岛的自治，作为斗争的目标，印度纳西亚人民与欧洲人权利平等，取消荷兰殖民政府的赋税与徭役，限制圈地，减低税率，发展农业与工业。

这次大会通过的决议案，更扩大了“回教同盟”的影响，最后成了团结爪哇人民以至全印度纳西亚广大人民进行反对侵略和榨取者的斗争。

六　中华民族的革命运动

一八四〇年鸦片战争以来，国际资本主义开始敲破了中国的门户。列强的经济侵略，政治侵略，武力侵略；由通商辟埠到瓜分共管，以致酿成日本强盗企图独占中国的局面。

一八四二年《南京条约》签订之后的三十三年间，与列强先后缔结了十一个条约：

一八四三年九月——《中英虎门条约》

一八四四年六月——《中美修好条约》

一八四四年九月——《中法修好条约》

一八五八年四月——《中俄瑷珲条约》

一八五八年五月——《中英天津条约》、《中法天

津条约》、《中俄天津条约》

一八六〇年九月——《中英北京条约》与《中法北京条约》

一八六〇年十月——《中俄北京条约》

一八七六年七月——《中英芝罘条约》

这些条约，就是列强给予中国的枷锁。

论失地：丧失香港，九龙于英国，丧失黑龙江以北乌苏里江以东三百多万方里于帝俄；丧失有悠久历史的属国越南于法国等。从《南京条约》的订立，被开辟了五个商埠，并允许外人取得居留地。所开的商埠越多，外人的居留地也越多。久而久之，这些居留地便变成了租界，事实上等于外国的领土，等于侵略中国的根据地。

论经济：由于两次战争的失败，赔款达三千余万两，使中国财源外溢，而外国资本主义却因此获得巨量财富，此其一。由于开辟许多商埠，使外国商品可以通行无阻的在中国推销，用“价廉物美的射击力”来进行掠夺中国，此其二。由于丧失了关税自主的权利，使中国无权提高关税，中国民族工业失去发展的保障，而外国资本主义却又在中国实行不等价的交换。此其三。

在这些条约中，还订立所谓“最惠”的条文，即给列强以特惠权。外国资本主义因在中国取得各种特惠权，于是向中国顺利的展开侵略的血手。首先是把商品输入中国内地，使中国手工业趋于破产，农村经济迅速的崩溃。广大的农民与手工业者在外国资本主义侵略下与中国的封建统治者的剥削下，走上失地失业的途径。

中国也从这个时期沦为半殖民地。

一八九四——九五年的中日战争，中国战败，结果与日本订立《马关条约》，主要内容为：

（一）中国承认朝鲜为独立国，废除朝贡。

（二）割让辽东半岛（由鸭绿江至凤凰城、海城及营口为止），台湾全岛及澎湖群岛于日本。

（三）中国赔偿日本军费二万万两。

（四）开沙市、重庆、苏州、杭州为通商口岸，日本得设立领事馆。

（五）日本臣民得向中国内地，购买及输入各种货物，有租栈存货之权，并免除税钞及一切派征费。

（六）日本臣民得在中国各通商口岸从事各种工业制造。

从此便确定了中国半殖民地的国际地位。同时促进了中国国防与经济的破产，加速满清皇朝的崩溃，促进日本资本主义的发展，扩大了日本侵略中国的欲望，即以中国为其蚕食的对象。

日本自战胜中国，占领朝鲜后，凶猛的向中国开刀。一八九八年强迫满清政府申明中国的福建及沿海一带，永不割让或租借与他国。日俄战后，又从帝俄取得南满势力范围。

一九一四年欧战爆发，日本强盗企图利用这个机会独吞中国。翌年向袁世凯政府提出了灭亡中国的“二十一条”，它想把中国的政治、经济、军事、文化、内政、外交，都由日本支配。在欧战期中，中国的形势，一面是日本强盗拼命的侵略：一面是国内内部的分裂；一面是世界革命运动高昂与一九一七年的俄国十月革命的胜利，这便促使中华民族的发展。中华民族是在列强的侵略与压迫以及国内混乱之下，要求民族独立与民主自由，比世界上任何弱小民族都来得迫切，所以一经世界革命尤其俄国十月革命的刺激，马上就燃烧起民族反帝的怒火，在一九一九年五月四日爆发了民众革命运动。“五四运动”严格说它是反帝反封建的民族革命运动，因它显明的提出：抵制日货，反对日本帝国主义，废除“二十一条”，“拒绝《巴黎和约》签字”的民族独立运动。同时也呼喊：反对封建军阀，反对专制独裁，要求自由平等的德谟克拉西等。“五四运动”不只使封建军阀和卖国汉奸在赤手空拳的群众面前发抖，即日本强盗割让山东的计划，也未得实现。所以“五四运动”是中国革命史上划时代的运动。

第一次世界大战以后，列强为补偿它们在大战中的损失，都特别加紧对于殖民地与半殖民地的压榨。而在太平洋英、美、日的三角冲突，亦日趋激烈，形成了尖锐的对立：其主要的对立，是美国的“门户开放”与日本的“对华独占”政策。前者是要把中国重新摆在国际共管的俎上，后者是把中国作为自己的口中肉。而英国在远东拥有广大的殖民地和巨额的投资，自亦不能坐视日本对中国的独占，所以也和日本冲突。美国把握英日的这一矛盾，乃在一九二一年发起召开华盛顿会议。这个会议，美国是为了拆散英日同盟，从而削弱日本在太平洋上的霸权；一是重新规定尊重中国领土主权与行政的完整，并维持对中国“门户开放”与机会均等的原则，以打击日本对中国的独占政策。

从此，中国又由日本强盗独占政策之下，重新恢复“门户开放”的原则。但同时三国在中国的争夺斗争，也一天天的剧烈了。随着列强争夺中国相互间矛盾的加深和剧烈，反映出中国封建军阀内战范围的扩大。因为这些军阀，虽然是封建地主的代理人；也是帝国主义列强的螟蛉子，他们经常在受列强策动与操纵之下，为代表他们的利益而扩张其势力范围，成为列强侵略中国的工具。这群军阀不只阻害社会的进步，而且阻碍中国革命的发展。中国人民一面要求抵抗列强的侵略与压迫；一面要求铲除封建军阀。所以中国国民党的产生，是负担着半殖民地半封建社会之中国革命的重大任务，即是说，它是列强长期侵略与封建势力压迫下的中国革命的必然产物。历史赋与它的使命，是摧毁列强的压迫与消灭封建势力，完成中华民族的独立解放。

国民党改组，发表了《国民党第一次全国代表大会宣言》。这个宣言指出：

> 三民主义的民族主义，含有两方面之意义：一则中国民族自求解放；二则中国境内各

民族一律平等。

对外政策揭橥：

（一）一切不平等条约如：外人租借地，领事裁判权，外人管理关税权以及外人在中国境内行使一切政治的权利侵害中国主权者，皆当取消，重订双方平等互尊主权之条约。（二）凡自愿放弃一切特权之国家，及愿废止破坏中国主权之条约者，中国皆将认为最惠国。（三）中国与列强所订其他条约有损中国之利益者，须重新审定，务以不害双方主权为原则。

这个对外政策显然表示国民党领导的中国革命运动，对外是推翻帝国主义的压迫，争取民族的独立。

同时也充实了三民主义的内容，健全了国民党的组织力量，确定了国民党对内对外的政纲，并且确立了革命的民众基础。因此，改组之后，全国革命势力如怒潮般的飞跃发展起来。一九二五年的“五卅运动”，就在国民党的影响下产生了。

当时世界革命运动，尤其是弱小民族独立运动，如：叙里亚反对法国，印度反对英国，再加上中国民族的革命，构成世界民族解放运动的三大主流，“五卅运动”就是这主流中最伟大的一个浪潮。“五卅运动”不但把全国各地各阶层人民全都号召起来，参加反帝斗争，不只动摇了英国在我国南部及中部经济上的控制，不只使国内封建军阀的政权逐渐崩溃，而且使整个国际形势为之改观。

“五卅运动”的演进，使中国革命由大规模的民众示威运动，进入国民革命的最高阶段，而在北洋军阀政权未推倒之前，必须建立革命政权。一九二五年国民党在广东设立了国民政府。国民政府的成立，是中国革命势力的高度发展，翌年七月，国民政府出师北伐。北伐的整个过程，可分为两个阶段，平定武汉南京，扫除军阀孙传芳吴佩孚的直系势力，并收回汉口九江两处租界，推翻英国在长江的统治。第二个阶段，定都南京继续北伐，扫荡奉系军阀张作霖残余势力，而日本强盗则以武力占领济南，造成“五三惨案”，“五三惨案”是日本强盗企图独占中国推行其大陆政策的尝试。一九三一年在“中国内部不统一，连年内战”的情势下，它发动了“九·一八事变”。

“九·一八事变”之后，中华民族开始了光荣的抗战史页与掀起了大规模的反日救亡运动。

第一，是东北义勇军的英勇抗战。当日本强盗以兵不血刃，唾手取得辽吉两省，自以为夺取东北全部，可不费任何代价。然而开始有马占山将军在嫩江的崛起抗战，继有丁超、李杜、王德林、苏炳文、唐聚五、邓铁梅等先后举起了抗日的旗帜，组织东北义勇军，广大的破产农民，绿林豪杰，工人，知识分子，都是义勇军的组成部分，当鼎盛时期达六十万之众。他们对日本强盗的斗争，不但粉碎了“不费任何代价”取得东北的狂妄企图，亦粉碎了“不抵抗主义”的可耻论调。现在杨靖宇、赵尚志等所领导的东北义勇军虽在极艰困的条件下，还是存在着壮大着，他们的抗日斗争已有十二年的历史了。东北义勇军运动，不但在中华民族解放斗争史上是值得大书特书的一页，而且也是世界殖民地人民反抗压迫者斗争的标本。

第二，是三次的局部抗战。一九三二年“一·二八”淞沪之役，十九路军和第五军以两个编师抵抗日本的倾国力量，足足支持月余，造成空前的胜利纪录。粉碎“中国必亡论”以及“唯武器论”的汉奸理论。其次，一九三三年的长城抗战与喜峰口之役，又粉碎日本强盗“不战而胜”的野心。这两次战役，都因我们是以局部的力量，答复日本强盗的全力进犯；以被动的战略，答复它的主动战略。所以结果都不幸的失败了。复次，一九三六年的绥远抗战，我们开始以主动的地位，军民一致的团结力量，结果造成了收复百灵庙的光荣纪录。

绥远抗战以后，我国特别坚定了抵抗日本强盗侵略的信心。由此渐次确定抗战的国策，而日本强盗亦更逞吞灭中国的野心。

第三，自一九三三年五月《塘沽协定》以后，日本强盗的侵略魔手，从东北四省伸张到华北五省，而冀东察北便成为日寇支配下的特殊地带。一九三五年下半季，日寇更进一步制造使华北脱离中央底伪自治运动。十一月二十五日，日本阴谋家土肥原乃利用汉奸殷汝耕，制造一个伪“冀东防共自治政府”；十二月一日又导演成立“冀察政务委员会”。从此日寇在冀察的控制力量愈益加强，因此引起了“一二·九”、“一二·一六”的大规模底反日救亡运动；而这一救亡运动卷起全中国的反日怒潮，从而树立中国内部团结的基础。

一九三七年七月七日，日寇武装进犯芦沟桥，我全国人民在最高统帅领导之下开始了全民族的自卫战。到了八月十三日，日本强盗更进犯上海，全国人民空前的团结起来，英勇将士坚决的负起保国卫土的神圣责任，展开了全面的抗战。

这次抗战是历史上半殖民地国家最伟大的民族解放战争。这个战争尤其有更大的意义，就是因为中国人民进行这个战争，是反对在远东扮演全世界反动势力宪兵作用的帝国主义国家。在这个斗争过程中，中国人民结束了使国家分裂的内战，并炼成全民族的统一；而这个统一是帝国主义者向来所最害怕的。

中国人民及其军队反对日本侵略者的英勇斗争，中国伟大民族运动的高涨，中国人力的众多和领土的广大，最后，中国国民政府要把中国解放斗争进行到底，一直到完全把侵略者从中国境内驱逐出去为止的决心——所有这一切，都是毫无疑义的说明，日本帝国主义者在中国是没有而且不能有甚么前途的。

第七章　环绕太平洋的国家

环绕太平洋共有二十个国家，这些国家，有的是独立国，有的是殖民地及自治领，兹简要的叙述一下。

一　独立国

（一）中华民国

中国不仅是太平洋而且是世界上最大的国家，就面积说，达一千一百万平方公里，约等于整个欧洲。比美国稍大些，等于苏联的一半，比德国要大二十倍。

中国的东面邻接太平洋，海岸线长达七千公里，沿海一带是中国对外关系的主要门户，也是外国资本对它侵略的集合场；海上运输沿着它侵入内河、长江、黄河与珠江就是中国的三大河流。其中最主要的是长江，它是中国最重要的交通手段之一，也是灌溉及肥沃田地的来源，在中国经济中有重大的意义。

在地理上，中国分三个区域——中部各省，北部各省与南部各省，其中每一部都倾向到这三条主要河流流域之一。中部是处在长江流域；北部是处在黄河流域；南部是处在珠江流域。

全国人口约在四万五千万左右。人口的密度，就自然区域而论，以太湖流域，粤东平原及成都平原为最。其次是江汉，华北，关东诸平原；西藏，蒙古两高原中密度最低。

都市人口所占的比率极微，因内地交通阻梗，较大的都市几全分布于沿江沿海一带，如：上海、南京、汉口、武昌及汉阳等三镇。广州、北平、天津、青岛等重要港口。

中国人住在国外的总数，约为一千万，其大多数是在印度支那与荷属东印度。其次是在美国、澳洲、南非洲、南非美洲与大不列颠自治领。

在政治上，国民党为唯一执政的政党，全国代表大会为党的最高权力机关。由全国代表大会选举中央执行委员会及监察委员，组织中央执行委员会与监察委员会。在全国代表大会闭会期中，中央执行委员会为党的最高权力机关。

国民政府总揽全国治权。下设行政、立法、司法、考试、监察等五院，军事委员会及国防最高委员会。国民政府设主席一人，委员廿四人至卅六人，组织国民政府委员会，其任务在处理各院间一切不能解决的事项；对外代表整个中央政府。国府主席、委员、五院院长及副院长，由国民党中央执行委员会选定。行政院各部部长由中央政治委员会选定。

在外交上，自一九三七年对日本帝国主义抗战以来，国际地位已渐提高。一九四三年英美及其他各国对华放弃“不平等条约”，另订新约。鸦片战争以来的百年耻辱，一笔勾销。同年的英美苏三国莫斯科会议，中国参加签订“四国宣言”，列为四大强国之一。在开罗会议中，东北四省，台湾与澎湖群岛归还中国之被确认，这是中国外交史上的新页。

（二）美利坚合众国

美国是世界上最大的国家之一，它的面积达七百八十三万平方公里的土地，比欧洲三十个独立国的面积要大两倍，比苏联小三倍，约等十分之七的中国。

就领土的开发程度说，仅次于苏联，占世界第二位。就人口说，仅次于中国，印度与苏联，居世界第四。

美国的殖民地有西印度群岛中的波多黎各及若干小岛，中美洲的巴拿马运河地带，太平洋上的夏威夷群岛，菲律宾群岛与若干小岛屿及阿拉斯加。它的总面积达三十二万五千平方公里。居民约一千五百万人。

在地理上，美国一面濒太平洋，位中纬度地带，只有东南端的佛罗里达半岛除外，东面渡大西洋而达欧洲大陆；西而过太平洋而达东亚市场；南面经墨西哥湾与加勒比海而控制拉丁美洲。只有北面是个大陆——英国自治领——加拿大。

美国本部地形，在东部是阿巴拉契安山系及大西洋沿岸低地窄狭地带，西部是科的勒拉山系，它的中间地带是巨大的中央平原。阿巴拉契安山系的北部迫近海岸，中部及南部构成梯形地带。科的勒拉山系横断北美西部。向东延伸的是落矶山脉；向西延伸的是喀斯喀得山与内华达山脉。其间是广阔的大平原。伸展在阿巴拉契安山系与科的勒拉山系之间的是广大平原，西部是高地，东部是占密士失必河流域的低地，邻接墨西哥湾，与大西洋沿岸的低地接合着。

美国最大的河流是密士失必河，长约七千公里，为世界最长的河，流域的面积达三百二十七万平方公里。它的支流计有：密苏里河，阿肯色河，俄亥俄河。

美国拥有五个大湖：苏必利尔湖、休伦湖、密茨安湖、依黎湖与安大略湖，在它们之间是以浅短的河流和湾峡连络着，形成世界最大的浅水流域。

在经济地理上，美国有许多特征：第一是工农业平行发展。当工业发展到高度时，农业亦保持其重要性。这与英国不同，此其一。它的矿产丰富，煤储藏量占世界资本主义国家之大半，铁矿富源据已知的储蓄量为资本主义列国的百分之八十。其他有色金属储藏量亦巨。在工业上需要输入的只是锡、镍与树胶等。这与英国不同，此其二。

第一次世界大战期中，美国资本主义发展到最高阶段，开发了巨大的经济富源，输出巨额的资本。由债务国一变而为债权国，它几乎拥有全世界的财富。它是二十世纪的世界重心。

美国的人口约一万二千万，有九成是白种人，有一成是黑种人，红印第安人种只三十三万。人口平均密度每平方公里为十六人。密度由东北向西，西南、南部渐减，至山地区为最少。但向太平洋沿岸，密度又增加了。由于美国资本主义的迅速发展，产生许多现代的大城市，城市居民占百分之五十六。最大的城市是纽约、芝加哥、菲列得尔菲亚、旧金山、波士顿、底特律、劳斯安吉里、克里夫兰等。

在政治上，美国是联邦共和国，根据宪法各邦自治。全国行政、立法、司法操于联邦政府。联邦政府的行政，操于大总统。大总统任期四年，但得连任。联邦政府的立法权在议会，议会分参众两院。参院由每州各举议员二名组成。众院议员由普选产生。

美国政治建立于两党制度上，两党即民主党与共和党。在美国政府中此起彼仆，已有八十年的历史，其间以共和党当政时期较长。在两党竞选中，一党获胜，整个政府机构及官吏，即要全盘变更，此为其两党政治的特点。此外尚有共产党（按：该党于一九一九年建立，领导者为白劳德（Browder）。一九四四年一月改名为美国共产主义政治协会）及其他若干小政党，如进步党，农工党与美国工党等，但均无势力。

美国的外交政策，在第二次世界大战之前，是以门罗主义为基干，并相当保守华盛顿传统的不与欧洲国家缔结盟约的政策。但在第二次世界大战尤其在太平洋战争之后，它的外交政策变更了。当轴心国的侵略与民主国的反侵略两大战线的形成，美国坚决的树起保卫独立自由与民主正义的大纛，一九四一年秋，罗斯福总统与英首相邱吉尔订定了《大西洋宪章》，一九四二年初，签订了《联合国宣言》，一九四三年冬与苏英中共同发表了“四国宣言”，并举行了开罗会议。这些，显然是美国现代史的重大事件。

（三）日本帝国

日本帝国合本州、四国、九州、北海四大岛及许多小岛所组成。这一串弧圈的岛屿，北起千岛列岛南迄台湾，构成它的核心，纵亘太平洋中，面积约十四万七千方哩，这叫做日本群岛。群岛的地势，并不是孤立在太平洋，实从亚洲大陆延伸而隆起。地理上的特点，是地面的支离破碎，海岸线的屈曲。

日本攫夺的属地，靠近中国南部海岸的为台湾与澎湖群岛，在亚洲大陆上有朝鲜半岛与辽东半岛的旅顺，大连及关东州。在第一次世界大战之后，又在太平洋取得了委任统治诸岛——加罗林群岛，马利亚纳群岛与马绍尔群岛。这些属地之取得，使日本在太平洋获得许多战略据点，可以发挥海空军的力量。

日本本部的山脉，可分为两大系：（1）由桦太岛越宗谷海峡而南，贯北海道及本州之北部，有虾夷、北上、武隈诸山，称桦太山系。（2）自中国大陆渡东海至九州，分为内外二脉。一自九州南部横亘四国，贯西京地方南部，而走中部地方；一自九州北部横断中国，亦走向中部地方。两山系相会之处，地势极高，因有“日本阿尔卑斯”之称。同时，日本为有名的火山国，境内颇多火山，以白山火山脉为最长，其次为富士火山带，雾岛火山带。

日本的河流极短，其要者为：信浓川，石狩川及利根川。河水一面注入太平洋，一面流向日本海。湖泊则有：霞浦、琵琶湖。这些河川湖泊，是日本水力的巨大源泉。

在日本群岛上居住六千六百五十万人，平均一平方公里为一百七十四人，在北海道，每平方公里只有三十四人，这说明日本的人口并不“过剩”，但日本帝国主义却以“人口过剩”的借口，向外侵略，和掠夺中国。

日本是二十世纪的资本主义后进国，它的经济特征，是有着金融资本的先进国的形态和封建制度的最落后的残余相结合，它还保留着前资本主义的榨取形态。就工业的发展水准说，与先进的资本主义国家相比是落后的。它的最大困难点之一，是原料不足与对外市场的依存性。这使日本资本家为求原料与市场而疯狂的斗争着。

形式上日本为立宪王国，首脑是天皇。实际起决定作用的倒是封建领主大有产者集团；而军阀在法西斯政权的现阶段，他们正在演着重大作用，为保护统治阶层中最反动的社会阶层的利益而效命。

日本原来实行政党政治，主要政党为：政友会与民政党。采用内阁制，始于一八八四年。内阁的职务：一为辅弼天皇而负责任；一为关于立法者，内阁大臣得出席议会，提出及解释一切法律草案与预算案；三为关于行政者——内阁为最高的行政官厅。内阁以总理大臣为首揆，下分外务，内务等十二省。总理大臣负保持整个内阁团结之责，并为整个内阁的代表。除关于军令事宜，由陆海军大臣径奏天皇外，其他各大臣的奏议，均由总理大臣代陈。

日本的议会，分贵族院与众议院。贵族院是大金融寡头与贵族的机关。众议院是代表反动的社会阶层。依照宪法一切立法必须通过两院；但政府仅对天皇负责，议会无权决定国是。自一九三七年林铣内阁坍台，近卫内阁树立，反动的法西斯政权形成，政党政治结束，从这个时期起，日本法西斯政权便转入发展的过程，东条内阁的组成，是日本法西斯政权发展到最高阶段。

日本从明治维新年代起，它就追求一种扩张政策，欲以亚洲的领导者自居，一八九五年的中日战争为其对外政策中的第一次成功，一九〇五年的日俄之战为其第二次的成功。迨一九一四年欧洲大战，它在中国巩固了自己的地位，这是它的第三次成功。这三次的成功，助长了它的对外侵略政策。这种侵略政策，伴来了日本国内军部迅速的法西斯化，与对外的挑战性。一九三一年占领我东北四省，一九三七年发动侵略中国的战争，一九四〇年与德意签订“三国军事同盟”，一九四一年掀起太平洋战争。

（四）墨西哥共和国

墨西哥为北美西南部的联邦共和国，面积约七十八万平方公里，当德法两国总面积之二倍。全境略如狭长之三角形，其地势与美国西半部类似。东北部与美国为邻，东面临墨西哥湾，南界危地马拉，西濒太平洋。

特湾特伯克（Tehuantepec）地颈以南之尤戛旦（Yucatan）地方，多为平原，西部太平洋岸有较低山地。地颈以北，为墨西哥高原的主要部分，高原的腹部为单纯的台地。东面海岸曲屈，拥墨西哥湾，西岸的山脉逼近海岸，有狭长的加里弗尼亚半岛之加里弗尼亚湾。

境内大山脉有二：一为塞拉·马德（Sierra Madre）山脉，沿西海岸，自北南下，直达中美。一为美国落矶山余脉，自北延伸入境内，蜿蜒而下。两山脉之间，展开广袤的原野。

人口达一千六百五十万，白种人约为二百五十万，印第安种为四百五十万，混合种为九百五十万。

墨西哥由二十八州一联邦区及二属地联合组成联邦共和国。而各州有自治权。联邦政府，采两院制之议会。一九一七年颁布宪法，一九二九年及一九三三年两次加以修改。总统由全国普选，六年一任。参众两院议员均由二十八州选出。

惟自立国百年以来，国内革命频仍，政局经过若干递嬗。一九三四年国民革命党领袖加德那斯（Lazaro Cardenas）当选总统。加氏就职后，厉行社会改良政纲。宣布：消灭大地主，平均地权。规定工业石油与铁道国管。一九三七年“油矿工人同盟”得政府的支持，向公司要求增加工资，公司不允，因掀起英墨绝交的风波。墨西哥政府于一九三八年下令没收外国油公司产业，并组织国家石油管理局，并与“油矿工人同盟”合作，来管理各石油公司。

墨西哥的重要资源为石油与银。石油占全世界油产总量百分之六点五，价值十五万万美元，为墨西哥的经济命脉。其银产占世界总产量的三分之一。一五二一年至一九二二年间，墨西哥所产白银约十五万五千吨，价值三十万万美元。其他金属产量占世界百分之五，钢占世界第六位。但是，墨西哥全国三万一千处矿产，百分之九十七，为外国资本所控制。资本势力最大的是荷兰、英国、美国，其所属的为墨西哥鹰牌油公司（The Mexican Eagle Oil Co.）和荷兰皇家壳牌公司（The Royal Dutchshell Group）。

墨西哥的国际关系，在第一次世界大战时期，德国是它的朋友。那时墨西哥的统治者是祈祷“天佑德皇”。二十四年之后，纳粹德国对墨西哥仍未忘情，想把它拖入轴心集团，但墨西哥总统加玛卓（Camache）却宣布推行“泛美主义”，一九四二年参加盟国反对轴心了。不仅和美国巩固了合作的基础，与英国亦已复交，当前墨西哥与盟国站在反侵略反法西斯的战线上，争取共同的胜利。

（五）尼加拉瓜共和国

尼加拉瓜位中美中央，为中美的最大国家，面积十二万七千四百余方公里。地跨太平洋及大西洋两斜面。东南有马那瓜（Managua）与尼加拉瓜（Nicaragua）两湖，中部为高原地带。尼加拉瓜本为西班牙殖民地，一八二一年宣告脱离，与其他西班牙殖民地合组中美联邦，一八三九年，联邦解体。翌年成立共和国。一九一三年四月五日，施行宪法。议会采两院制，参议员二十四人，任期六年；众议员四十三人，任期四年，俱由普选产生。总统任期四年。

尼加拉瓜与美国的关系，非常密切，当美国未获得巴拿马运河权时，曾与美订约，允许美国利用尼加拉瓜湖与圣周安河贯通，以开凿运河，连络太平洋与大西洋。旋以美国致力于巴拿马运河的开辟，因而停顿。

尼加拉瓜的东部气候湿热，产椰子、香蕉、树胶、木材等。西部及中部的山地较凉爽，农牧特盛；农产物以玉蜀黍、咖啡、甘蔗、椰子、大豆等为最。全部矿产，多金银，铜矿亦富，但多未开采，美国投资独多；而在经济上亦居有重大势力。即尼加拉瓜的政治，亦为其左右。

居民以混血种为主，纯西印度人占十分之一，西班牙人居少数。尼加拉瓜的教育不振，文化甚低，多数信奉天主教。

首都马那瓜（Managua）为中美最大都会，人口达六万，有铁路通海岸。封塞卡湾（G. of Fonseca）为尼加拉瓜的最大军港，美国经常驻有海军。

（六）萨尔瓦多共和国

萨尔瓦多濒太平洋，为中美面积最小，人口最密的国家。位于哄都拉斯西南，面积三万四千一百余方公里。全境属山地高原，并多火山，因称“火山国”。

原为西班牙殖民地，一八二三年，中美对西班牙宣布独立，组成中亚美利加联邦（The United States of Central America），一八二三年更分裂为五个共和国，萨尔瓦多即其中之一。一八二四年制定宪法，几经修订：现行宪法于一九二四年颁布。议会采一院制。议员由普选产生，选举时，男子投票是强迫的，女子则听其自由。议员任期一年，总统任期四年。萨尔瓦多有健全的民主传统，人民富自由思想。多数为美斯的索人，三分之一为西印度人，混血种次之，西班牙人亦多。流行西班牙语，奉天主教。施行义务教育，人民文化水准颇高。

萨尔瓦多以农业为主，物产以咖啡为最重要，玉蜀黍、蔻蔻、烟草、甘蔗以及牲畜等次之。美国投资达二六四六六〇〇〇美元，一九四一年前与日本的经济关系，颇为密切，一九三五年曾承认伪“满洲国”。太平洋战争后，表示反轴心，一九四二年签字于“二十六国宣言”。一九四四年修改移民律，平等待遇中国侨民。同年四月发生革命政变，反对总统马丁纳斯（Martines）。首都圣·萨尔瓦多（San. Saluador）。

（七）哥伦比亚共和国

哥伦比亚即新格兰那达（New Granada）共和国，位南美之西北端，在委内瑞拉之西。原为西班牙属地，一八一九年独立，成立共和国。以后与委内瑞拉及厄瓜多尔组成大哥伦比亚国（State of Greater Colombia），至一八三二年分离而成新格兰那达共和国，一八五八年更分裂为八小联邦，更名为格兰那底那联邦（Confederation of Granadina），一八七一年再分为九联邦，改名为新格兰那达合众国（United States of New Granada），一八六三年始改组成哥伦比亚合众国。一八八六年颁布宪法，取消各州自治，由总统委任州长统治，议会采两院制。参政员任期四年，众议员任期二年。总统由直接选举产生，任期四年。

哥伦比亚面积约一百二十五万方公里，西部为高地，东部为低地。产咖啡、树胶、蔻蔻、棉花、烟草等，就中咖啡产额甚巨。矿产多金、银以及岩盐，西班牙人殖民时，曾视为财宝的出产地。牧畜业盛行于润湿草地。所产的牛羊为其人口之二倍。

美国在哥伦比亚的投资达三万万美元，在其经济上占有势力，在其政治上亦起重大作用。一九四三年十一月对轴心宣战，十二月加入联合国。

哥伦比亚的人口为七百八十五万，白种人中以西班牙人为最多，土人约占三分之一，混合种占第二位。

首府波哥大（Bogota），位安达斯山麓农牧地带，拔海面二千六百余公尺，为世界最高都会之一，气候和暖，风光明媚。

（八）秘鲁共和国

秘鲁位南美西部太平洋沿岸，面积一百二十五万方公里。地当厄瓜多尔之南，东部为亚马孙河上流之平地。海岸线平直，岛屿亦稀。在安第斯山脉中，为一山间平原，称普纳高原（Plateau of Puno），农业与牧畜以此区为最盛，昔为“印加王国”的活动地带。目前产业极为发达。

东南及西部，盛行农牧。产咖啡、烟草、树胶、几纳（Cinchona）、蔻加（Coca）、甘蔗、葡萄、培棉等。牲畜多牛羊。南部海岸产硝石、鸟粪石，都为特产。北部产草帽缏，毛织制造业非常发达。矿产有金、银及石油，尤以银为最多。

秘鲁原为西班牙领土，一八二一年获得独立，成立共和国。一八七九年协同玻利维亚与智利作战，最后败北，割达克那（Tacna）与达拉巴加（Tarapaca）二部给秘鲁。一九一九年颁布宪法，规定以天主教为国教，但亦列信教自由。一九三〇年发生革命，成立新政府。一九三三年修正宪法，实施真正宪政。议会采两院制。参议员任期六年，众议员任期五年，均由普选产生。选民以二十一岁以上通文字的男子为限，女子无选举权及被选举权。总统任期五年，不得连任。现任总统为皮耶维提斯。

内阁分：内政、司法、财政、军事、外交、航海、教育、劳动、社会、公务等十部。

全国分二十三区。首都利马（Lima），位太平洋之高海面，市街为西班牙式。由此有铁路横断山脉，东至平原，西达海岸。北部沿海岸之帕达（Paita），中部之特鲁吉罗（Trujillo）及南部之喀尔莱欧（Callao）均为其重要出口。

居民多印加族之红种人，占总人口五分之三，西班牙人占百分之十五，混血种亦多。首都人口达二十六万六千。有全美大陆最古之利马大学（一五五一年创设）。

（九）智利共和国

智利居南美西南端，占太平洋岸西侧之地，为世界最狭长之国。面积达七十四万二千方公里。全境地当安达斯山脉西面斜坡，平均高度达三千五百公尺，多火山，时起地震。北部有亚大加马（Atacama）沙漠，全为不毛之地。沿海略见平野，物产不丰，仅产硝石、鸟粪石、铜、碘、硼、砂、盐等各种矿物。矿产中最重要者为硝石——所谓智利硝石。它可作溶矿物，可制硝酸钠，可作肥料及制爆炸等等原料。经制炼后的硝石，输出世界各地达四百万吨，每年征收的出口税为三千万美金，占智利总输出税百分之六十。

智利硝石的埋藏量，约五十万万吨，可供二百年以上之开采。其产额占世界总产额百分之九十五。但其开探的资本，大半属英德美三国，其本国投资仅占百分之四十。硝石主要产地为达克纳（Tacna）和亚里加（Arica）两地。智利北部之南段产多量煤铁，为南美第一煤铁产地。

农产物以小麦、麻、葡萄、甘蔗为大宗。牧畜多牛、马、羊。

因智利拥有煤铁以及其他近代工业原料，所以工商业颇为发达。占南美第三位。铁产于中部海岸地方，多为美国公司所开采，美国所投的资本约三万万美金，经巴拿马运河运至美国。巴拿马运河开凿后，铜的采掘日盛，一跃而居世界第三位，年产值四千万美金，亦为美国资本所垄断。

人口约四百二十八万，大部为西班牙人。旧为西班牙殖民地，一八一〇年独立，一八一八年完全脱离西班牙，建立共和国。一八七〇年发现硝石之后，邻国秘鲁与玻利维亚垂涎其富源，乃思指染其地，一八七九年启衅，智利坚决抵抗，经二年之久，卒打退敌军，并占领秘鲁首都。一八八三年缔结和约，割秘鲁及玻利维亚数地方事。从此疆土大拓，成为南美强国。

一九二五年实行新宪法——议会采两院制。大总统任期六年，现内阁以温和的社会主义占势力。首都圣提牙哥（Santiago）位安达斯山脉西麓之沃野，人口达三十三万余，市况繁华，堪称南美太平洋岸第一都会。

（十）哥斯达黎加共和国

哥斯达黎加介尼加拉瓜与巴拿马之间，面积五万九千五百余方公里。原为西班牙殖民地，于一八二一年宣告独立，成为中美联邦之一。一八七一年十二月七日颁布宪法，建立独立共和国。议会采一院制，有议员四十三人，任期四年。总统下设七人内阁；司行政权。一九三二年十二月二十三日，声明退出一九二三年二月七日与萨尔瓦多、哄都拉斯、危地马拉、尼加拉瓜共订的《中美和平友好条约》。

哥斯达黎加的东西岸的平地湿热，产香蕉、甘蔗、蔻蔻、咖啡、豆类等农作物。牧畜以牛、马、豚为多。输出以香蕉及咖啡为大宗。美国投有巨额资本于运输业。两国国交亦颇为密切。一九四二年参加廿六联合国，宣布对轴心作战。一九四四年五月与苏联建立外交关系。现任总统为拉斐尔·安格尔·加尔德隆·瓜尔的亚博士。

居民以美斯的索人为主，西班牙人、黑人及印第安人亦多。奉天主教。首都圣约色（San Jose）。中部之加塔哥（Cartogo）有中美和平裁判所，亦称“和平宫”。

（十一）厄瓜多尔共和国

厄瓜多尔位南美的西北部，在哥伦比亚与秘鲁之间，因赤道横跨本国北部，亦名赤道国。面积三十万七千方公里。安达斯山脉纵贯国境，大部为高原，且多火山，为世界首屈一指之地震国。西部沿海平原，物产丰饶。东部与太平洋岸的低地，为湿热之赤道气候，产巨大之热带森林，巴梭大为其特产，质轻性坚，可作制飞机材料。在山腰地方产蔻蔻、甘蔗、咖啡等，就中以咖啡为多，占世界总产额百分之二十。

在基多高原（Quito Plateau）畜牧甚盛，产牛羊。昔为“印加王国”之活动地带。山中产石油、金、银、铜、铁、铅、水银等矿物。开采权落美国资本的手里，一般工业不发达，财政异常拮据。

人口约二百万，四分之三为印第安人，五分之一为混合种，最小部为西班牙人。无国教，人民多奉天主教。

厄瓜多尔原为西班牙殖民地，一八三〇年正式宣告独立，成立共和国，一九二九年三月，颁布宪法。议会采两院制，参议员任期四年，众议员任期二年。总统由直接选举产生，任期四年。一九四四年五月发生政变，革命党人推翻芮欧总统，组织新政府，前任总统乌巴拉被推为总统。

首都基多（Quito）居哥多伯西（Cotopaxi）火山之麓，景色如画；以瓜亚基尔（Guyaguil）为出口，有铁路联络。此外领有太平洋中的加拉巴哥群岛（Galapagos Is.）。

（十二）危地马拉共和国

危地马拉位中美西北部。地势东南高而西北低，并多火山。东西均可以铁路达海岸。农产物以豆类、玉蜀黍、甘蔗、烟草、香蕉、椰子、树胶等为最。矿物产金、银、锡、铅。牧业亦盛。

旧为西班牙属地，一八二一年宣告脱离，与其他西班牙殖民地合组中美联邦，一八四〇年因联邦解体而独立。一九二八年一月实施宪法。议会采两院制，议员由普选产生，任期四年；总统任期六年。

居民为三百万，百分之六十为纯粹印第安种，余为混血种及西班牙人。全国可分二十余部族，以西班牙语为官话。印第安人受教育者甚少。

危地马拉全国的军队比中美任何一国为多。且以地近加勒比海（Caribbean Sea），在联合国对轴心国作战期中，它处在战略地位，因它拥有许多海空军根据地，可借与美国利用。一九四四年六月，发生学生“反对不民主”的罢课运动，扩大到全国。

（十三）泰国（暹罗）

泰国本名暹罗，为泰禅族所建立的国家。一九三七年改国名为“泰”——盖含有大泰族之意。位亚洲东南部，本为我国藩属，后成独立君主国。

自十六世纪始，屡受缅甸侵略，许多城市被毁，文献建筑荡然无存。一七七八年时，华侨邓昭慨然以恢复暹罗为己任，率领大军溯湄公河而上，大破缅军，恢复暹土，因此邓昭被拥为暹罗王，建都曼谷（Bangkok）。十八世纪以来，欧海势力逐渐侵入，暹罗成为列强角逐之场。法国吞越南后，逐渐向其蚕食，割地达八次之多，与列强订立不平等条约。其后赖英国支持，介两大之间得苟延残喘。第一次世界大战后，暹罗以参战国名义，取消不平等条约。

暹罗居印度支那半岛中央，介缅甸与印度支那之间，面积五十一万五千四百四十二平方公里。其地势有数条山脉从西藏高原伸入境内，惟高峻者少。中部有湄南河，自北而南流，中流以下，展开为广阔之平野，称湄南平原，为产米要地。每年产米约一百四十万吨，并大量输出。米为本国特产。农产物以棉、烟草、咖啡、胡椒、麻等为大宗。工业甚落后；铁、煤、石油等原料，均感缺乏。而日用物品，大部由国外输入。

其西北境，森林茂盛，多柚木、紫檀、乌木等，为造船最佳材料，亦为本国特产。

国内商业多操在华侨手中，在经济上英国握有巨大支配势力。一九三四年以来，日本经济势力逐渐侵入，与英国竞争颇烈。因此，暹罗国内常发生政争。

在政治上，暹罗于一七三二年曾颁布宪法，一九三二年再颁布永久宪法。立法权操于人民代表会议，议员半数由国王委任，半数由国民选举。国王下设国务院，由议会选出的各部部长组成，助理国王掌理行政。自日本势力侵入后，它在暹罗政治上起重大支配作用。銮披汶执政后，执行亲日政策，开始排华。一九三七年封闭华侨学校三百余所，封闭华文报十一家。翌年在国会通过禁止华侨开设米厂等法律，一九四〇年禁止华侨在莫打望等地区居住，并没收他们的财产。

一九四一年与日本签订《同盟协定》，实际变为日本的附庸，被驱策为侵略的工具。

人口为一千五百七十一万八千，多数为暹罗族，马来族，柬埔寨人次之。一九三七年以前，华侨在暹罗有百万左右。暹罗等族均含有华人血统。

全国深信佛教，因有“黄衣国”之称。

首都曼谷，跨湄公河两岸，并临暹罗湾，交通四达，成为商业中心。市街分水陆两部，有“东方威尼斯”（the Venice of the East）之称。

（十四）菲律宾共和国

菲律宾为南洋群岛东北之一大群岛，东滨太平洋，西邻中国海，北对台湾，南望西里伯斯岛。距亚洲大陆约八百公里，面积二十九万六千二百方公里。一五二一年为麦哲伦所发现，一五六五年为西班牙所征服，一八九八年美国战争终了，根据《巴黎和约》割让与美国，成为美国的自治领土，由美国设置总督管理行政。

群岛拥有七千零八十三大小岛屿，最大之岛为北部之吕宋（Luson）与南部之民答那莪（Mindanao）。本群岛由多数的山脉所集成，各山脉间均有洋海；并有火山，其总数在三十座以上，时酿巨灾。

岛形参差，地面崎岖，河流因地体分离而多短细，颇利灌溉。河流两岸与两岸的冲积层，为最肥沃的田地，亦为农业生产的中心。全岛为热带深林所覆，产米、咖啡、棉花、麻、树胶、染料、烟草等。地下产煤、铁、鸟粪石、石膏等。菲律宾人民在争取解放的斗争中，流过许多的血，于一九〇七年成立第一届议会，这时以奎松为领袖的国民党坚决主张独立，至一九三四年，美国国会始通过《达丁斯修正法案》，承认菲律宾设自治政府，允许在一九四六年独立。同年，菲律宾开始草拟宪法，翌年，新宪法通过于菲律宾两院，举行选举正副总统。竞选时国民党与独立民主党（以奥斯敏那为领袖）联合，奎松当选为总统，奥斯敏那为副总统。这年成立了共和国新政府。迨正副总统就职后，美国驻菲律宾的总督莫菲（Murphy）改任美国驻菲代表，从此亚洲新添一共和国。

根据菲律宾的宪法，成立单一制的国民大会，国民党在大会中占九十八席。国民大会的代表，任期三年。

但菲律宾虽已是个共和国，实际并未完全独立，它的内政外交，由美国主持，它的币制、移民、贸易等，须经美国大总统批准。英国的陆军、海军、军舰有权在菲岛驻扎等情形看，距独立之期，尚有相当时期。

太平洋战争发生后第二年五月六日，日军占领菲岛，菲军粮尽弹绝投降。奎松总统在华盛顿成立流亡政府，以联合国之一的资格，继续对日本强盗作战。

菲律宾的人口约一千四百万，其中大半为马来族，马来人与黑人的混合种即菲律宾人，与黑白混合种（Mulatos）。人民奉天主教，新教与邪教。

马尼拉（Manila）为其首都，居吕宋西海岸，人口达三十万，为政治与经济的中心。

（十五）巴拿马共和国

巴拿马占中美南部的狭长地，面积为八万三千八百余方公里，中央大部为山地，西境有高耸的火山。全境多雨而热，疟疾流行。

物产以咖啡、树胶、蔻蔻为大宗。海中产珍珠颇多。

巴拿马地当交通要道，且有通太平洋与大西洋的运河，具有重大战略性。

该国原为哥伦比亚前身之新格兰那达国之一部。一九〇三年美国因欲获得巴拿马运河地带，乃助成巴拿马独立。

美国扶助巴拿马独立后，每年以二十五万美金租借运河地带（The Canal Zone）为永久租借地，两岸各五公里，总面积为一千三百六十方公里。除运河外，尚有与运河并行之铁路，为世界交通枢纽。巴拿马运河起于太平洋之巴尔巴（Ballba），终于大西洋岸之克里斯托波尔（Cristobal），为连络太平、大西两洋的运河，其重要与苏彝士运河相等。

巴拿马独立之后，首先得美国承认，并受美国保护。一九〇四年得哥伦比亚承认，一九二四年与哥伦比亚缔结邦交。一九〇四年二月，成立宪法。议会采两院制，议员任期四年。大总统由普选产生，任期四年，副总统三人，由议会选举。一九三五年与美国订立新约，美声明放弃干涉内政。

人口约四十六万七千，大部为混血儿及西班牙人，华侨约三千。多数信奉天主教。首都巴拿马港，人口六万七千，位太平洋岸，为美国的海军据点之一。

二　殖民地与自治领

（一）越南

越南即法属印度支那，又称安南。位亚洲大陆之南；

北连我国云南、广西；西界缅甸与泰国；东南面我国南海；西南面暹罗湾。全境分为交趾支那（Cochinchina）、安南（Annam）、东京（Tongking）、老挝（Laos）及柬埔寨（Cambodia）等五区。全境面积七十四万三千九百四十九平方公里。境内多山，印度支那山脉从贯其间，只南部之交趾支那（南圻），柬埔寨一带与北部之东京为平原，土壤肥沃，为越南富庶区域。重要河流有红河，源出我国，会白河、黑河等支流，注东京湾，湄公河——澜沧江下游，经缅甸、泰国边界，东南流注于南海。海岸大体率直，东北与我国雷州半岛围成东京湾，西南与马来半鸟合成暹罗湾。

境内气候炎热，雨量充足，农耕极盛，农产以米为最，湄公河红河流域，出产最多。所谓西贡米、东京米，著称于世。大多运销中国。此外有棉花、甘蔗、烟草、胡椒等。树胶业颇发达。北部交趾一带多木材。矿产有：金、银、煤、锡等，而东京鸿基所产之煤，以品质优良著称。

越南原为我国藩属，十七世纪初叶法国入侵，一七四九年遣使至顺化，要求越王订结商约，被拒绝。一八六二年法国借口传教师被杀，在西班牙支持下，开始向安南进攻，越军大败乞和，缔结《西贡条约》，割交趾六州与法。一八七四年再订立法越《西贡亲和条约》，越南失掉了外交权与司法权，事实上成了法国保护国。一八八五年以后，中法战争，中法缔结《天津条约》，承认越南受法国保护。一八八七年，越南之安南、东京、柬埔寨、交趾支那合组为印度支那联邦，受治于印度支那总督，这个总督就是法国在远东殖民地的最高代表，法国之占领越南，不只着眼于经济利益，主要是把它当做战略据点。在地理上，由于越南邻接中国南部诸省，它可作为进侵中国的基地。太平洋战争前后，日本在亚洲东南部的军事侵略，首先在这里动手，这是一个重要原因。

越南五区的住民系由各种种族所构成，总数在二千三百七十五万，主要为柬埔寨人、老挝人、安南人及山人。中国之混血种占四分之一。

一九四〇年六月，法国对纳粹德国投降，日本便乘机向维琪政府要求假道越南，进攻云南，租让空军根据地，并驻军“保护”。维琪政府竟丝毫不顾对中国所负的条约义务，无耻的屈辱的接受了这个要求，从此，越南便沦为日本的殖民地了。

越南有几个重要的港口，如：河内为东京首府，地当水陆交通要冲，有铁路通我昆明，为全境经济与政治的中心。海防为越南北部的良港，据东京湾，红河出口处，形势重要。西贡为法国东洋舰队根据地，在湄公河三角洲上，与香港、新加坡时有轮舶往来，为商业中心。

（二）缅甸

缅甸在印度支那半岛的西部，东与越南、老挝及泰国相接，南与马来半岛为邻，西南面孟加拉湾，北接中国之云南、西藏。面积六十八万零一百平方公里。境内的山脉，大都为我国横断山脉的余脉，走伊洛瓦底江之西者为阿拉干山，走伊洛瓦底江之东者为高黎贡山的余脉，走萨尔温江之东入马来半岛者为怒山的余脉。

河流以伊洛瓦底江与萨尔温江为最大。伊洛瓦底江我国称为大金沙江，上流在西康。萨尔温江在缅甸东部，由我国云南南流入境，注玛达万湾，长达一千七百五十里，大部在我国。

缅甸地势，因当我横断山脉的尾间，故多山地。只伊洛瓦底江流域，略有肥沃平原，为缅甸精华区，盛产米、麦、烟草、甘蔗、树胶、棉花等。米之集中地为仰光。

山地富森林。矿物以石油及锡为最。铜、锌、银、铝集中于东部之萨尔温江流域。铁、钨集中于那悉林省，尤以沿海各地为最多，石油集中于西部阿拉干山脉伊洛瓦底江流域。

根据英国官方的统计：一八三九年缅甸的银、铜、锌、铝的产量为四八六八七六吨，铁的产量为二六二五九吨，石油产量为二万五千万加仑。而砂在世界上占重要地位。

缅甸旧为我藩属，一八八四——八五年中法战役，英人以迅雷不及掩耳的军略，占领上缅甸。一八八六年又迫中国承认缅甸为独立邦，并宣布为“印度帝国”之一者。一九三九年与印度分离，另成英国独立殖民地。

一九三九年欧战爆发，日人即在缅甸秘密从事政治活动，缅人接受了日方的“援助”。签订“互助协定”，“组织国民革命党”，成立“缅甸独立军”，统由日人包办。太平洋战争发生，日人便公开活动。一九四二年实行占领，成立“缅日合作委员会”，至此，缅甸沦为日寇的殖民地了。

缅甸人口为一千六百八十二万四千，大半为缅族，次为阿拉干族、禅族、卡梭族等。均皈依佛教，在一定年龄须入寺院为僧，短期两三月，长期数年，有之终身。一般男子，皆懒惰成性，大多工作，由女子操任。

仰光为全缅大城市，亦缅甸首府。市内多庙宇、塔院，城北矗立瑞光塔，高三百七十呎，均镀黄金，光辉夺目，数十里外可见。华侨过去在此侨居者达三四万人。仰光米市极盛，亦对外贸易中心。其次，瓦城为缅甸旧都，濒伊洛瓦底江左岸，居缅甸中心，交通四达。中部商业汇集于此，为境内第二都会。佛寺颇多，建筑均极壮丽。

（三）朝鲜

朝鲜古称高丽，一八九七年改称大韩国。一九一〇被日本吞并后，始称朝鲜。位于我东三省之东，为一大半岛。外形颇似印度支那半岛，东西南三面环海，北以长白山脉、鸭绿江、图们江与我东北及苏联沿海州为邻，总面积为二十一万八千方公里。长白山脉盘结于中韩界上，故北部地势极高，小长白山脉为半岛之脊，构成丘陵地势。

本岛无大河流，其流入黄海者，有鸭绿江、大同江、汉江、锦江；入日本海者，有图们江、洛东江。是谓朝鲜六大江。惟以河身短小，水势湍急，少航行之利。

朝鲜平原土壤肥沃，农业发达。产物以米、麦、豆、烟草为大宗，高丽野参尤为特产。自被吞并后，百分之六十的土地，被日人夺去，因此，农业凋敝。而各种事业分移于日人之手。矿产以铁、煤、金、石墨为最著，如：价川之铁，甲山之铜，云山之金，平壤及镜城之煤，咸银道之银，均甚著名。都为日人开采。其北部有原始森林，东北二部山多，林木极盛。约占面积七分之三。

一九一〇年前的朝鲜，本我藩属，其国习惯、礼教、姓氏、制度，无不与我相同。故与我国关系至为密切。日本明治维新之后，因其半岛介中日两国之间，且据战略地位，遂成日本染指之标的。一八九五年及一九〇五年两大战役之后，日本乃在朝鲜增大其侵略势力，一九一〇年正式吞并朝鲜，为其殖民地。并为侵我东北四省的基地，推行大陆政策的桥梁。

朝鲜沦亡之后，在经济上备受日本帝国主义的压榨；在政治上，为其军阀的专断政治制度所统治，没有言论、出版、信仰的自由。朝鲜人民屡起反抗，图谋独立。一九一九年，在中国上海成立韩国流亡政府，在东北的朝鲜人民，一九三一年以后，参加东北义勇军，作抗日斗争。一九三七年我抗战军兴，朝鲜爱国志士，参加中国抗战，并先后组织朝鲜义勇队与韩国光复军，成立临时政府，从事消灭日寇与争取复国的斗争。

现在在朝鲜境内的人口，约二千零七十九万人，百分之九十七为朝鲜民族，其中五十四万为日本人。

（四）澳洲联邦

澳洲为大洋洲中的一个大岛，三面环着大洋，只北面靠着岛屿并与大陆相通，介于太平洋与印度洋之间。

澳洲的发现，还不到两个世纪，古称未知之南大陆（Terra Australis Incognita），自一七六九年英人科克（James Cook）探险后，始简称为澳洲，一七八八年高揭英国国旗，此为英国势力到达本大陆之始。最初为流罪殖民地，但自一八一七——一九〇一年之八十四年间，南北纵断探险，发现许多新地，殖民事业亦随之而进。更以金矿的发现，英国移民突然增加，而澳洲棕色土人便遭受了空前的厄运，澳洲变成了“白人的澳洲”。一九〇一年一月，各殖民地改称为州，合并组成澳洲联邦（The Commonwealth of Australia）。

澳洲联邦的领域，包括：新南威尔士（New South Wales）、维多利亚（Victoria）、昆士兰（Queensland）、南澳大利亚（South Australia）、西澳大利亚（West Australia）与大陆南部之塔斯马尼亚（Tasmania）及北部领地（Northern Territory）、巴布亚领地（Territory of Papua）等部。

其面积为七百七十万四千一百方公里，地形略与非洲相似，东南角的港湾颇多，但海岸线并不破碎。西部高原，面积很大。东部是山地，中央是低地。内陆水系特多，占全河川百分之五十四。达令墨累川系，为本大陆最大的水系。

澳洲的经济是以农业、牧畜、各矿为中心。耕地面积约十余万方公里，农产物以小麦为最，每年产量达二万万斤以上，其次为玉蜀黍、燕麦、大麦、米、甘蔗等。牧畜以羊为最，现有一万万一千余万头，平均每一澳洲人可有七十头羊。为世界最大的羊毛产地，不只量多，并且质好。全澳的出口，羊毛占五分之二。英国兰开夏毛织工业所需的原料，大部是澳洲供给的。其矿产，以金的出产最为著名，主要产地为东南部与西南部的沙漠地带。产量仅次于南非、美国与苏联。煤、铁、铅、铜、锡产量亦丰饶。就中以铅的产量为最，仅次于美国，居世界第二位。银的产量约占世界总产额百分之四。铜的储量为二十万六千公吨。铁的储量为九万万一千六百万公吨。锡的产量年约三十万公吨。此外，石油产额年达一百六十万桶。煤的蓄量约一千六百三十二万万五千三百万公吨。

澳洲经济发展的地理分布是极不平衡的，其不平衡的原因，是殖民地的经济，即作为宗主国的经济附庸而发展的。它的发展不是向内而是向外，这是殖民地经济的特色。

在政治上，澳洲联邦是大不列颠帝国中的自治领之一，联邦政府的最高行政长官是英皇任命的总督。并设联邦总理，掌理行政。立法权属于议会，议会采两院制。议会有联邦议院与各省议院。政党有：澳洲联合党、工党与农村党。联合党代表城市有产者集团，是温和的保守主义。工党以劳动群众为后盾，为最有力的组织。农村党代表地主与富农的利益。三大政党之外，尚有共产党，它虽然算是合法的政党，可是活动却受非法的限制。

十几年来，由于联邦的政治，缺少中心的领导力量；只能成立联合性的内阁。一九三九年欧战发生，工党特别代表着进步的力量，在议会中增加了议席。一九四〇年联合党与工党发起组织全国各派的战时会议，作为备政府谘询与协助的机构。联合党主张加强澳洲的联邦与英国的合作，工党却主张联邦的独立自主。联合党的主张，曾遭受工党的反对。因此，联邦总理联合党的领袖孟席斯，不得不辞职，而由工党领袖寇丁组阁，领导七百万人民参加《廿六国宣言》，进行反法西斯轴心的斗争。一九四四年一月廿一日与新西兰成立在太平洋密切合作之协定。

太平洋战争发生，英美荷诸国在太平洋的根据地，都相继沦敌手，只有澳洲为盟国的最后堡垒，在军略上，它是“三角阵线”的一环，英帝国物力人力的源泉，也是盟国在西南太平洋的根据地，反攻的唯一基点。

澳洲联邦的人口约七百万，多白种人，尤以英人为多。原来的澳洲土人，自白人入境后，悉被驱逐于北部，行将“灭绝”。首府坎培拉（Canberra）位澳洲大陆东南山中，风光绮丽，举世鲜匹。雪黎（Sydney）为联邦新都，濒南威尔士之东海岸，为澳洲第一大都会，有“南方女皇”之誉。

（五）新西兰

新西兰位澳大利亚大陆之东南，由南岛（Southern Island）及北岛（Northern Island）与附近斯条亚等岛组合而成。第一次世界大战之后，复获得德领萨摩亚群岛，总面积约为二十七万一千三百余方公里。此岛之位置、面积与地形酷似意大利半岛。

全岛在南纬三十四度与四十七度之间，从东北伸展到西南达一千五百公里。岛屿是多山的，尤其是南岛。南岛以南阿尔卑斯山为主轴，高峰矗立，山巅四时白雪皑皑，有大冰河从山中流出。北岛多属火山，温泉颇多，其地之间歇泉，喷水壮丽，世界著名。

发现新西兰的，最初是荷兰人科克（Cook），一八二五年被英国占领置为殖民地，一九〇七年改为自治领。它与英国的关系，与澳大利亚联邦及其他自治领是一样的，内政由自己办理，但英王有否决权；并派遣总监督。其立法权操两院制的议会，总督有召集，停止与解散议会之权。政党有工党、独立党与混合独立派。就中以工党为最有力量。

新西兰的产业，以牧畜为最盛，为全岛上经济之主要部门。肉类与酪占第一位，羊毛的生产占第二位。酪的输出量，仅次于丹麦，占世界第二位。羊毛占第四位。其平均输出总量的百分之八十，输入英国。而肉与酪的大主顾，也是英国。

全岛四分之一的面积，为森林所覆，这证明林业最盛，佳良木材颇多。矿产以金与煤为最，此外尚有少量之银。金银均多产于北岛之火山地方，煤则产于南岛各地，而尤以南岛西北之格勒摩斯（Greymouth）与威斯坡（Westport）附近，为南半球第一煤产产地。

新西兰的人口一百四十余万。工业不甚发达；每年输入大宗机械、铁砂、茶、糖等。由于缺少优良港湾，陆地多山，海陆交通，都不便利。现在仅有五千二百公里铁道，铺于沿海平地，以连结各牧畜生产地与各大港口。奥克兰（Auckland）为北岛之大港，在两海湾之间，交通最为便利，为本邦的最大都市。威灵顿（Wellington）濒科克海峡之北岸，为新西兰的首府。

（六）加拿大

加拿大居北美北部，海岸曲折颇甚，北岸临冰海，多港湾。西部为山地。由落矶、喀斯喀德与海岸山脉，夹一山间高地，即为英领哥伦比亚高原。全境地形，一似美国，东西高耸，中央平坦。东部拉达半岛呈波状之丘陵地，中部则为河流纵横之大平原。总面积达三百六十九万四千九百平方公里。

全境河流大者有三：即圣罗棱士河、纳尔逊河、更根些河。湖泊有：安大略湖、休伦湖、苏加利尔湖等，均与美国共有。

产业以农林为主，牧畜次之。在圣罗棱士河流域，盛产小麦、大麦、裸麦及燕麦等。除麦类外，产葡萄与其他水果。中部及西部为森林区，占全面积三分之一，大部都未开采。牧业在各农业区颇盛。镍产、白金及矿产占世界第一位。金、银、石油、煤、铁等次之。

加拿大是工业发展与农业机械化了的国家，但因它是殖民地，经济的部门与发达的地域是不平衡的。它本来是法国的殖民地。一七一三年英法缔《乌特勒西条约》（*Utrecht Treaty*），英国获得哈得孙湾领地、阿加底亚与纽芬兰等地。迨一七六三年《巴黎条约》，结果英国获得了加拿大全土。一七七五年，美国独立后，约三万之忠英党人（Loyalist）由美国出走，收并加拿大各地。一八四〇年英国国会通过条例，给予加拿大自治。一八六七年加拿大联邦（The Federal Dominion of Canada）成立。行政权操于英皇代表的总督，采内阁制。立法权操于两院制的议会。自定宪法，对外亦得自派代表，实际无异一独立国。现任内阁为金氏。全境分为九州及两地方。联邦政府，即为中央政府，有直接监督西北区及育空区（Yukon District）政治之权。

在两次战争中，加拿大均积极援助英国对德作战。日本帝国主义发动太平洋战争后，加拿大立即对日宣战，加拿大的军队多批开抵英伦助防，并与美国订立《联防协定》。

人口约一千一百四十一万四千，每平方公里只一人。人口最密之部为圣罗棱士河流域，北部人口最稀。居民以英人为最多，法人次之。此外为红种人及哀斯基摩人。我华侨数达四万余。人民多信奉新旧教。

首府渥太华（Ottawa），临圣罗棱士河，街市整洁，环境优美，交通亦便利。

第八章　太平洋的国际政治关系

一　太平洋初期的国际关系

十九世纪之前，英国在太平洋上拥有最多的殖民地，最大的利益和势力范围。到十九世纪终了为止，英国还是握着无敌的独霸地位。

鸦片战争以后，英国获得中国大部分的利益；获得香港作为军略根据地与进口商品的聚散口岸，上海的公共租界，也成为它的工商业开拓的中心和贸易金融机关的大本营了。

但从二十世纪开始，英国的霸权地位便被震撼了。与它敌对的列强如美国、帝俄、德国，都向远东方面扩展其势力。

美国于一八九八年获得菲律宾，并且建立它的军事根据地，翌年发动对列强的挑战，就是要求它们承认对中国“门户开放”的原则。

帝俄从鸦片战争以后，就跟随英美诸国蚕食中国，一八五八年的《中俄瑷珲条约》，攫取中国黑龙江以北外兴安岭以南的广大领土。一八六〇年的《中俄北京条约》，它的势力便扩展到中国的东北与外蒙。为了与英国争霸，更垂涎新疆，一八七一年借口保护边陲，出兵占领伊犁，从此，它的势力深入中国内地，企图对抗英国从海道来独占中国的贸易。英俄在中国发生了利害冲突。这种冲突一直发展到一九〇四年的日俄战争。

德国从一八九八年租借我胶州湾之后，它创立了新海军，是针对英国的优势。英国必须把它海军的力量集中于北海；这样，就不能维持太平洋的霸权了。英国害怕在远东军事地位的削弱，和日本缔结同盟做它的远东伙伴。

一八九四年《英日协定》成立，英国帮助日本建立了海军。在这一年日本就对中国开仗。战争结果，日本完成了朝鲜对中国的分离与辽东半岛的租借。在俄德法三国联合反对下，日本忍痛归还了辽东半岛。一九〇二年接着又缔结《英日条约》，日本又对帝俄发动战争；帝俄战败，日本取得我旅大与南满铁路。一九〇五年的《英日条约》，更加强了第一次条款的力量。

这样，直到一九一四年的二十年中，日本在英国保护之下继续扩展着，在欧洲列强无暇东顾的时候，日本强盗利用其接壤中国特殊地位，利用欧美列强放松对中国侵略的时机，大举向中国侵略。一九一五年向中国政府提出二十一条，展露了奴属中国的全部计划，同时并占据山东、福建、东三省以及俄领的西比利亚。

然而，日本强盗这种野心的尝试，究终未成熟。当大战结束，美国的力量已达到了最高度。

二　日俄、英俄、日美的对立

从鸦片战争到日俄战争这个阶段，列强在太平洋上的主要矛盾，是日本与帝俄之间的矛盾。因为日本与帝俄和中国领土的接壤；日本与帝俄比中国，都握有强大的军事力量，所以侵略中国它是处于特殊有利的地位。由于英国在远东拥有庞大的势力范围，自然也不能坐视中国被日、俄两国独占，尤其怕帝俄独占，因英国和帝俄在巴尔干，在中东、在近东已经有着很大的矛盾，所以在中国，它绝不容帝俄伸展其势力。因此它拉拢日本，以阻止帝俄在太平洋的发展。《英日协定》就是英国反对帝俄的具体表现。在一九〇四年以前，美国在东三省也有极大的经济利益，它也耽心帝俄向这方面发展，因此，它也竭力支持日本。在这个时期，太平洋列强的关系，组成为：日本—帝俄—英国的三角关系。这是表明当时除日俄的矛盾为主要矛盾外，还有英俄的矛盾。至于英日虽也有着矛盾，但尚不鲜明。

从日俄战争到第一次世界大战这个阶段，列强在太平洋的主要矛盾，是日本与美国的矛盾。一九〇四年日本战胜帝俄，“日人彻底占领整个辽东半岛，掌握着控制朝鲜、中国与东三省这个重要支持点”，“日人占领了东三省最好和最稠密的部分。在这里，他们能够把占领区域的资源，来养给军队”（伊里其）。

由于日本在日俄战争中的胜利，改变了列强在太平洋上力量的对比，开始了列强间新的结合，太平洋上日美的矛盾加强了。日美在太平洋上的矛盾，从太平洋上矛盾纽结开始产生就存在着的。但是在日俄战前，因为帝俄与美国在中国北部矛盾的尖锐化，以及美国对日本侵略中国程度估计的不够，日美间的矛盾，在那个时期是削弱了；一直到日俄战争为止，帝俄是美国在中国底利益的主要威胁者。当时日本在反对帝俄的斗争中，还可能成为美国和英国的工具。可是日俄战后，这种情形就变了。

一九〇四年后，美国的“门户开放”政策的推行，以及美国的资本侵入南满，日美间的矛盾开始尖锐化。这个时期，美国国内的排日运动，更助长了日美矛盾的发展。一九〇七年在太平洋上动荡着日美战争的空气。同时美国也确在调遣大西洋舰队增防太平洋，对日本加强压力。因此迫使日本在移民问题上对美让步，日美战争的直接威胁就因之消失了。但美日间的矛盾，以争夺东北市场的原因，矛盾扩大而且成为长期性，成为太平洋上的主要矛盾了。

三 日美在太平洋上的斗争

第一次世界大战结束，太平洋列强力量的对比，发生了剧烈的变化。由于帝俄的崩溃，产生了社会主义的新国家，帝俄从太平洋上列强间的矛盾中退出，美国利用它在世界经济政治的优越地位，在太平洋展开了新的攻势。

在大战期间，战争很厉害的缩小了欧洲列强与太平洋的商业关系，而且使欧洲各国对远东的经济活动一般的衰退了。在战前为争夺中国市场，列强间所进行的斗争，很快的停止了。此际中国市场没有欧洲的商品，停止了西欧资本的流入，这便造成日本与美国夺取中国市场特别有利的条件，尤其造成日本对扩张其自己在中国的经济地位有利的条件。因为美国在当时欧洲的广大市场向它开放，美国的商品，向欧洲畅销，美国一部分资本，变成了欧洲国家的战债。从此，美国在欧洲放置下重要的权益。而日本就利用这个时机与空前的顺利条件，在太平洋扩张其经济的与政治的势力。对中国的贸易，不待说是飞快的增进，代替了英国对华贸易的首位。在政治上，对中国的压迫，也比任何时期任何国家都来得厉害。

然而，不管日本强盗在战争期间收获的如何大，可是这种收获并不巩固。当战争结束，美国就对它开始压迫了，在巴黎和会与华盛顿会议中，它被迫部分的乃至全部的归还了战利品。虽然在巴黎和会中日本保持了山东，但在华盛顿会议中却被迫交还中国。“英日同盟”亦因美国的压迫正式解体，就是英国亦被迫接受了对美主力舰平等的原则。这是说明美国在太平洋上获得了支配地位，日本和英国降到第二位。同时，中国领土的完整正式得到了保证，从此奠定了太平洋“维持现状”的基础。过去，日本在大战期中所获得的利益和优势的统治，宣告结束了。

华盛顿会议，美国达到了“打破日本在太平洋的横行局面与消除英国百年来在太平洋的独霸局面”的目的，但它却不能削弱列强在太平洋上的矛盾，主要是日美的矛盾正在展开。华盛顿会议后，英美在国际范围内的矛盾加深了，这影响着英美在太平洋上反对日本的联合战线的削弱，因之渐使国际形势对日本有利。华盛顿会议不久，英日就重新接近，英日条约虽已正式废弃，可是它的“精神”却未因之改变。

日本利用英美之间的主要矛盾，并且取得英国精神的与物质的帮助，在这个时期积极建造海军，加强了自己在太平洋上的军事力量。表面上虽似受《华盛顿海军条约》的拘束，实际上这个条约对它并无控制力量。在华盛顿会议中，列强签订两个条约：一为《华盛顿海军条约》；一为《九国公约》。前者是世界三大海军国关于海军竞争的限制，即所谓英美日五、五、三的比例：这是说，英美要并驾齐驱，也要共同对付日本。后者是由英、美、日、法、荷、意、比、葡、中国签字，主要是重申中国领土完整，门户开放，机会均等等政策，实际就是列强要避免彼此的冲突，和防止日本之独占中国。

然而，日本在英日合作的条件下，拼命的扩充海军与军备，这就便利它在一九三一年发动“九·一八事变”对中国的武装进攻了。

一九三一年以后，日本在太平洋侵略的挑衅，撕毁华盛顿《九国公约》展开了新的战争。一九二九年世界经济危机的加深，削弱了美国的势力，英法等国亦自顾不暇，致日本强盗一帆风顺的占领了东三省。一九三二年建立“满洲国”，又发动对上海的武力进攻，一九三三年日本把侵略的范围扩展到热河，并退出国际联盟。一九三四年废弃《九国公约》。一九三五——三六年日本把侵略的范围，扩充到内蒙古和华北。日本的侵略步骤：第一是占领东北四省，以为征服中国的根据地；第二是占领蒙古，然后发动反苏联的战争；第三再发动占领西太平洋和东亚的反美战争。

我们说过，在日本进行侵略中国的过程中，曾经受过英国的有力支持。“英国之所以支持日本，不仅是为了拉拢日本去一致对付美国，同时还把它当做远东镇压中国民族革命运动以及反苏联的最强武力。美国曾一再吁请英国共同合作，反对公然撕毁华盛顿《九国公约》的暴行，可是都给拒绝了。”[1]

四　英日的关系

如上所述的英日关系是怎样建立的呢？是根源于英

[1] 杜德:《世界政治》，张弼等译本，三〇六页。

国的远东政策。英国的远东政策，一向是利用第三国来反对它当前的劲敌，以维持它在太平洋的利益。比如：一九〇四年以前，英俄冲突尖锐，它利用日本反对帝俄；当一九一五年以后，日本企图独占中国时，它利用美国共同反对日本；当英美矛盾成为主要矛盾时，它又利用日本反对美国。

美日之所以长期合作，是由于英国企图把日本作为它在远东的“看门狗”。因为英国在太平洋是占有广大的殖民地的国家，这些殖民地对于英国是头等的经济的和军事的意义。英国在太平洋和大洋洲占有超过它本国三十六倍以上的领土，这些地方的人民等于它本国的三分之一以上。英国在太平洋上最有意义的殖民地是：马来、香港、澳洲与新西兰。马来是世界出产树胶与锡的中心，香港是控制中国的支点，澳洲是食粮与羊毛的供给地。

同时，英国在中国得有巨额的投资（占外国在中国投资总额百分之三六点七），英国在远东和亚洲东南及海洋洲的对外贸易占英国整个对外贸易的五分之一；在这些区域内的投资，占英国对外投资的三分之一。

正因为英国在太平洋有这样的重大利益，它必须拉拢日本，作为保护它利益的“股东”。一九二一年，《华盛顿条约》签订以后，英日同盟虽被迫取消，但英日两国政治家一遇机会就要反复声明:《英日条约》在形式上虽然废弃，但其精神仍然存在。所以一八九四年开始的英日合作，条约形式虽在一九二一年取消了，实际一直延续到一九三一年所展开的新局面。从“九·一八事变”至一九四一年太平洋战争发生，日本的势力从东北四省继续扩张到华北到一半个中国。在进攻的初期，日本得到英法的有力援助。一九三二年，美国迭次申请英国共同反对日本破坏《九国公约》，但被英国拒绝了；那时西门爵士在日内瓦曾为日本竭力辩护。一九三四年日本外务省的《天羽声明》，曾引起美国的尖锐反感，而英国官方却处之泰然。

英国这种政策，显然是助长了日本的侵略。一九三九年欧战发生，英国的主要军事力量被牵制在欧洲和大西洋上，日本于是利用英国在太平洋兵力削弱的关系，逐渐占领南进的有力阵地——海南岛与斯巴特莱岛，一九四〇年法国屈服后，更进侵略越南，染指泰国，直接威胁着英国在西南太平洋的利益。同时一步步排斥英国在中国的势力。这样，英国更与日本妥协，这种妥协是在牺牲中国利益的前提条件下进行的，譬如：一九三九年英国把中国在天津的存银转交日本；撤退在上海和天津租界的驻军。一九四〇年封闭滇缅路；交出天津电话局等事件。对日本作最大的让步，以冀英日相安。可是种种妥协与让步，并没有满足日本，相反的使它的胃口越来越大。在此期间，英国对日本妥协政策的失败，表征了日本露骨的进攻，从而加紧了太平洋上的风暴。

虽然，英国始终跟日本合作，但是它们之间，不是没有矛盾的。从第一次世界大战至一九四一年太平洋战争发生这个期间，日本是英国最大的对手。在澳大利亚、马来、香港、印度以及中国，日本与英国在这些地方的经济斗争，非常尖锐。可是英国为了缓和这种斗争，消弭对立，却采取“以强制强”与“牺牲第三国利益”的远东政策。结果更助长了日本的侵略，今天，英国过去的远东政策，应该清算了。

五　日苏的对立

帝俄崩溃，苏联长成，世界的形势，多了一种对立的关系。无论在欧洲，在远东，它的影响都是非常重要的。苏联是太平洋的一分子，它的壮大，资本主义列强是妒嫉的，尤其担任东方警犬任务的日本强盗，从一九一八——二二年间，始终把它们视为眼中钉。就日本的大陆政策说，它要向苏联进攻，想把贝加尔湖以东的领土收入版图，至少也想在远东建立一个“白俄帝国”。

日本强盗从“九·一八”以来，无日不去准备进攻苏联，打算从东三省侵入沿海州，这种企图与其说是太平洋上的斗争，勿宁说是两个体系的对立。

苏联怎样应付呢？首先指出它的远东政策：

苏联的远东政策为其整个外交政策之一部，它的外交政策是和平政策。在西方，与各国进行缔结《互不侵犯条约》(*Non Aggression Fact*)。在太平洋呢？一九二九年虽因中东路问题，发生一次冲突，自《伯力议定书》成立，即已重睹和平。“九·一八事变”之后，仿佛在风平浪静的海面，泛起震动全世界的浪潮。苏联虽在日本进攻的危机前面，它的远东政策，仍是和平政策。在“九·一八”过后不久，苏联外交人民委员会主席莫洛托夫声明苏联外交政策的基本原则：“我们不需要任何国家的土地，但我们亦不愿让寸土与人。”所以在远东暴风雨中，仍向日本提议谈判不侵犯条约，冀借此打开阴霾的局面，这就是苏联和平政策具体表示之一。

尽管苏联一贯的执行和平政策，但日本强盗一直把苏联看成敌人。自一九三三年苏日售路会议搁浅，苏联宣布“菱刈文件”，揭穿日本夺取中东铁路以后，日苏关系特别的恶化，而日美关系却因之缓和了。为甚么呢？

就外交方面说，由于日本陷于孤立，它认为苏联是一切资本主义国家的死对头，如向苏联作战，在“讨赤”的旗帜下，可以得各国的援助，起码可以取得各国的同情。就军事方面说，如对苏联作战，不仅可以直接威胁沿海州，且可利用东北四省与夺取内蒙为堡垒以进窥西比利亚，延长战线以困苏联。这是日本强盗的“如意算盘”。它从一九三五年到一九三九年，制造出的苏伪与蒙伪边境的冲突达六百余件，这都是攻苏的试探，就中张鼓峰、诺门坎两次战役，日本可耻的败北了。从此它已不敢再向苏联挑衅，一九四〇年七月，日本驻苏大使东乡，代表日本政府建议日苏缔结一中立条约。同年十月，驻苏大使建川复提议缔结与一九三九年《苏德互不侵犯协定》相似之苏日中立条约。一九四一年四月，松冈到莫斯科签订了《苏日中立条约》。

然而，《苏日中立条约》的订定，并没有消灭日本进攻苏联的念头。它认为“如果德国击败苏联，则战争或将扩大至远东。斯大林或将放弃苏联的欧洲部分；而在稳定西比利亚地位以后，向日本进攻。目前苏联在西比利亚的军火工业计划，如告完成，则日本海将不复为日本所独有了”[1]。这是日本要占领西比利亚的理由。它认为苏联的沿海州对日本国防威胁最大；假使美国去阿拉斯加与阿留申群岛布置完竣，两洋舰队建造起来，利用北方路线与苏联合进攻日，日本将必遭受极大的惨败。所以当一九四二年，南洋战争的侥幸成功，又刺激了它北进攻苏联的冒险。然而它却不敢大规模的发动，这并不是一纸条约有灵，实在是慑于苏联军事力量的威

[1] 一九四一年八月一日，日本《国民新闻》社论。

力。而苏联对日本的外交，是一贯的执行条约上的义务。

一九四四年，苏联的军事胜利与英美在太平洋上军事的发展，迫使日寇不得不对苏联让步。三月三十日，苏日之签订《北库页岛日本油矿煤矿权移交苏联》与《苏日渔业协定延长五年》的两项新协定，就可表明日寇对苏联的屈膝，而莫斯科对东京态度的强硬。日寇为甚么对苏联屈膝呢？一言以蔽之，它害怕在欧洲胜利后的苏联，在太平洋上打它。日寇企图以《苏日中立条约》，来维护它在太平洋战争所处的不利地位。现在苏联开始把日寇向亚洲边境上推出，这是苏联远东政策的一个新的起点。

第九章　太平洋的国际经济关系

从第一次世界大战以来，太平洋国际经济关系的重要性，确有驾凌大西洋而上之的趋势了。这在世界贸易的变动中可以看得很清楚的。由于第一次世界大战给美国以跃居世界资本主义的首位，给日本以扩大对中国对南洋的经济侵略，以及给远东和太平洋上各殖民地落后国家以某种限度的资本主义文化的机会，太平洋上的国际经济关系就日趋繁复，日趋发达，同时也日趋紧张了。一九一五年巴拿马运河开通以后，从纽约到美国西海岸的航程缩短了一万哩，因而航行太平洋的船舶就很快的增加起来。到一九二四年，经过巴拿马运河的货物，已有驾凌苏彝士运河之势。根据当时国际联盟的报告，从一九一三到一九二五年，大西洋方面的国际贸易的趋向是萎缩；反之，太平洋的国际贸易则有增无减。

上次大战后太平洋国际经济关系的发展超过大西洋方面的另一重大原因，是在战后资本主义总危机时期，尤其在它的所谓第三期——在世界经济恐慌的时期，由于资本主义比较发达的大西洋各国都沉沦于生产过剩的苦海中，国际市场战异常尖锐，大家纷纷采取“关税壁垒”，“布洛克经济”，“奥泰基”（即国家的经济自足自给），“许可制”等贸易政策，使得大西洋各国间的经济关系（特别是贸易关系）不能不日趋萎缩。太平洋各国中，则除美日两国外（苏联当时在太平洋国际经济关系中所占比重甚小），其余极大部分国家或地域都是殖民地，半殖民地，或落后国家；这里政治上的世界分割局面虽已告成，经济上却尚大有伸展和攘夺的余地。这里像“关税壁垒”，“布洛克”……这一类阻止贸易关系发展的制度，也远较大西洋方面为弱。于是资本主义列强的目光都集中到这方面来，扩展各自的销货市场，争夺廉价资源及扩充投资场所。可惜当时资本主义列强均宥于自私自利的成见，眼光非常短视，只知各自为本国资本家谋眼前利益，而忽略谋长期共同繁荣的远大计划（为一九四一年《大西洋宪章》及以后罗邱会议所公布的战后秩序），不然的话，太平洋方面单单像中国这样一个大国，对于这方面国际经济关系的发展，就可以有莫大的贡献。

太平洋的国际经济关系，和世界任何其他方面的国际经济关系一样，不外乎商品贸易关系，投资关系和原料供求关系。这三种关系，又表现为资本主义列强间的三种经济争夺战：市场争夺战，投资范围（即资本输出对象）的争夺战和原料争夺战。正因为太平洋上极大多数的国家或地域是殖民地，半殖民地或落后国家，而这些国家或地域可正是资本主义列强实行经济争夺战的对象，所以自第一次世界大战以来，一方面我们看到太平洋上国际经济关系的发展，另一方面我们也看到在这一发展过程中资本主义列强间经济争夺战的激烈化：这一个排挤那一个，新兴的排挤衰老的，而后者却要企图抵抗，挣扎。太平洋上，进行这种争夺战的主角仍旧是英美日三国。

以下即就贸易（市场）、投资、原料供求三方面，把太平洋各国的经济关系，分别予以剖解。

一　市场贸易关系

前面已经指出，自上次大战以来，太平洋上的国际贸易关系有日趋发达而驾凌大西洋贸易之势。这里有数字为证：

假使就各洲贸易的本身来看，那么欧洲的贸易额所占世界贸易总额从一九一三年的百分之六一点六，减到一九二五年的百分之五四点五。太平洋的情形恰恰相反，在同时期内，北美洲的贸易从百分之一二点四增加到百分之一六点〇，亚洲从百分之一一点九增加到百分之一四点四，澳洲也从百分之二点五增加到百分之三点一，南美洲增加得最少，从百分之七点六增加到百分之七点七。此外远东国际贸易的急速发展，也可以作为世界经济活动的方向趋向于太平洋方面的指标：

远东诸国 1925 年的贸易指数（以 1913 年为 100）

	输入	输出	总计
朝鲜	394.4	909.7	551.0
台湾	251.0	408.5	324.2
马来半岛	267.0	375.1	319.3

续表

日本	280.7	288.9	284.5
菲律宾	224.7	311.8	265.9
锡兰	213.3	253.3	235.6
荷印	188.7	273.3	238.8
中国	191.3	221.8	203.9
暹罗	200.0	186.0	192.1
波斯	149.2	252.4	192.1
印度	138.8	187.0	166.2
世界合计	164.9	166.3	166.0

太平洋贸易所占比重的增加，就意味着帝国主义列强对于太平洋市场的“眷顾在一天关切一天；同时也就是太平洋的市场问题在一天严重一天”[1]。

（一）英美在太平洋上的贸易战

先谈英美两强在太平洋上的贸易战吧。前面也已指出美国在第一次大战后跃居于世界资本主义的首位。这在它对太平洋各国的贸易上，特别是对南美，中国和大不列颠帝国的领地的贸易上，可以得到确实的证明。

[1] 见《世界知识》半月刊，第二卷第五期，二四三页。

英国在世界贸易中所占的统治地位，早在一九二五年已给美国夺去了。在那年英国对外贸易在全世界贸易总额中所占的成分为百分之一四点八，而美国却为百分之一五点七，到一九二九年英国再减为百分之一二点五，美国却再进而为百分之十八点〇。美国对于英国的这种贸易上的优势，在南美洲表现得最为明显。在太平洋沿岸的四个南美国家——智利、秘鲁、厄瓜多尔和哥伦比亚，美国商品显然已经排挤了英国商品。它们在一九二六年的输入总额中，英美两国所占的比率有如下表：

	智利	秘鲁	厄瓜多尔	哥伦比亚
美国	32.6	46.2	32.4	47.6
英国	17.2	15.6	22.6	15.2

这种情形虽在世界经济恐慌年间，由于英国放弃金本位（因而英镑跌价，强化了英国出口贸易的竞争力）而发生过相当大的变动，可是从一九三三年美国也放弃金本位，实行贸易反攻以来，它重新又恢复了旧观。从此美国对拉丁美洲的贸易就一直跑在英国的前面而居绝对的优势。英美两国对拉丁美洲二十个国家的贸易消长

情形有如下表：

英美在拉丁美洲输入和输出中所占之百分数

	在输入中所占			在输出中所占		
年份	1913	1929	1938	1913	1929	1938
美国	25.0	38.7	35.8	30.8	34.0	31.5
英国	24.4	14.9	12.2	21.2	18.5	15.9

其次，拿对英帝国的自治殖民地的贸易来说，美国资本的势力也压倒了英国的。早在一九一三年时，美国对加拿大的贸易已经超过英国对加贸易约百分之九十；该年美加贸易总额为五亿八千万美元，而英加贸易只三亿一千万美元。一九二九年美国在加拿大输入中所占比率为百分之六八，而英国只占百分之一六点八。对于英国的另一大自治领——澳洲——的贸易，英美两国地位的消长，表现得更为可惊。在澳洲的输入总额中，一九一三年英国占百分之五一点八，美国只占百分之三点七；但至一九二八——二九年，英国所占的比重已惨跌到百分之三九点七，美国则升到百分之二四点七。在新西兰的输入中，一九一二年美国只占百分之一〇，至

一九二九年已增加到百分之一九。

在中国这一重要的角逐对象上，在“九·一八”事变以前，英美两国在中国输入总额中所占的百分数有如下表：

年份	1913	1920	1929	1930
英国	16.5	16.5	9.3	8.2
美国	6.0	17.9	18.0	17.5

“九·一八”事变后，英美两国利用全中国抵制日货的机会，各自加强了对华贸易：

年份	1931	1932	1933	1934
英国	12.29	15.61	15.42	15.24
美国	18.85	21.16	20.82	23.24

（二）英日在太平洋上的贸易战

大英帝国在太平洋贸易市场上，一方面固须抵御美国商品的猛攻，另一方面还得招架日本的袭击。英国的放弃金本位（一九二一年）和召集渥太华会议（一九三二年），即用以一方面抵御美国，另一方面招架日本的。

在第一次世界大战中，日货已以不可阻挡的力量侵入了英国在太平洋上的一切市场：澳洲、荷印、马来半岛、加拿大，甚至印度。例如日本在澳洲的输入总额中，一九一三——一四年仅占百分之零点四，至一九二〇——二一年，已增至百分之零点九，至一九二九——三〇年中，则增至百分之一点〇。日本在澳洲的输出总额中所占的百分数，一九一三年仅百分之一点二，一九二五——二六年增至百分之二点九，一九二八——二九年更增至百分之三点三。而同一时期英国对澳的贸易则逐年递减，已如上述。

再以英日两国的出口大宗——棉布——来说，它们在英属马来半岛的棉布输入额中的消长情形，有如下表所示（单位百万码）：

年份	1929	1930	1931
由英输入	24.7	8.5	4.3
由日输入	12.7	15.4	15.0

再就英日两国的共同角逐地——荷印——来说，日本也大超过了英国。两国对荷印的输出，亦以棉布为主要商品。请看下表所示的情形：

荷印棉布输入状况（百分比数）

年份	1930	1931	1932
日本	35.8	47.5	56.4
英国	22.0	12.4	12.6
荷兰	33.1	28.3	20.0

日本的比重不但大大地超过了英国，而且还绝对地压倒了荷印的宗主国——荷兰。

最后也是最重要的一个英日角逐的商品市场，便是中国。不过在中国这个辽阔的市场上，共同在角逐的不只是英日两国，而且还有美国。前节叙述英美贸易竞争时，已经约略述及该两国对华贸易的消长概况。兹为便于了解资本主义列强在华的市场争夺战之全貌许，我们就把英日美三国对华贸易的变动情形综合起来加以剖视。

就三国对华贸易战的策略来讲，大致是日美两国采取积极的攻势（尤其是从第一次大战以来），衰老的英国则采取消极的防御守势。美国资本不仅在中国若干重要贸易部门（棉花、石油制品、铁道材料、机械军火、电器装备等）与英国资本作猛烈竞争，而且还曾从中国取得了一些重要的资源，如生丝、皮革、矿产、植物油等。日本自一九三二年“一·二八”淞沪战争以后，它原先对华贸易的首位即被美国夺去。可是我国东北四省的市场却被日本独占了去。惟有老大的英国，则连向来由它占支配地位的长江流域和南方各省的市场，也逐渐受到日美两国的商品势力的排挤了。兹将英日美三国对华贸易的比重变动情形，列表如下：

英日在对华贸易（输入）中所占之百分数

年份	英国	日本	美国
1870	44.72	3.16	6.70
1890	17.60	5.70	5.53
1910	10.62	16.40	6.76
1920	13.58	28.40	16.16
1930	7.75	24.66	16.52
1932	15.61	18.60	21.16
1934	15.24	14.75	23.24

从这里可以看出，英国在中国对外贸易中原来占有绝对的支配地位，从一九一〇年起，这地位就被日本夺去。但自“九·一八”事变以后，英国又取日本的地位而代之。不过这里不能忘记日本同时独占我东北市场的事实。

各国在我东北输入贸易中所占之百分数

年份	1931	1932	1933	1934
日本	35.6	39.1	51.8	53.3
英国	3.9	4.3	3.4	4.8
美国	2.7	2.5	3.9	3.9

（三）日美在太平洋上的贸易战

日美两国在太平洋市场上的冲突，早在第一次世界大战以前就开始了的。当一九〇三年朝鲜还是一个独立国家的时候，美国对朝鲜的输出只有一九九一八八美元，十年之后却增加到三百二十九万美元，到一九二九年更增到五百万美元。如与一九〇三年相比，竟增加了二十五倍。在另一方面，日本却同样地对美国的殖民地菲律宾采取攻势，它用大批廉价的商品，突破了菲律宾的藩篱。一九二九年日本对菲输出，占菲岛输入总额中的百分之八点三（当时英国占百分之六三点九），到一九三〇年增加到百分之一〇点五（美国占百分之六四点三），到一九三一年再增加到百分之一一点一（美国占百分之六三点七），自一九三二年下半年起日元价格大跌，日本棉布、人造丝、生丝等对菲的倾销，更趋积极。

自然，日美市场斗争的局面还不限于上述两地。两国在拉丁美洲，特别在我们中国，市场争夺战也非常尖锐。据美国商务部的统计，美国对中南美各地的输出，在一九三二年为一五八九三〇〇〇〇美元，一九三四年为二五五二九三〇五四美元。可是日本在一九三二年还只有五一一三九二〇美元，到一九三四年竟增加到三一三七六六〇〇美元，即几乎增加了六倍。直到这次世界大战爆发前夜，日本对拉丁美洲的贸易，始终在逐渐增进中。不过因为美国资本在中南美洲的基础非常巩固，再加上美国与中南美各国订有互惠条约，后来又有泛美会议的团结，日本货在那边终究攫不到任何的优势。至于日美在中国的贸易战情形已详前节，不再赘述。

不过这里有一点应当特别指出的，即在这次世界大战以前，日美矛盾已为太平洋上最重要的列强间的矛盾，但是这种矛盾属于政治方面的，实远甚于属于经济方面（特别是贸易方面）的。在贸易经济关系上讲，美日之间实在是互助多于竞争的。美国对远东市场的输出，有一部分是经过日本经纪人之手的，而约有半数竟须经过日本银行之手。其次，自日本输入中国的商品，特别是纤维产品，多数是用美国的原料或半制品加工制成的。至于美国的钢铁、汽油、机器之源源供给日本，更是异常显著的事实。

根据一九三八年日本本国（所谓“日元集团”除外）对外贸易的具体数字，日本输入总额为二〇九九二八〇〇〇〇元中，自美输入额达九一五三五〇〇〇〇元，即美国在日本输入贸易中占百分之四三点六。日本的输入总额为一四〇〇〇〇四二二三元，美国占了四二五二四〇〇〇〇元，即占百分之三〇点二七。

尤其值得注意的是美国对日贸易，在日寇对中国的侵略战展开之后，增加得特别快。在日本的输入中，一九三六年美国占百分之三〇点七，一九三七年占百分之三三点五，一九三八年占百分之四三点六。在日本的输出中，一九三五年美国所占的日货输出额是百分之二一，一九三六年占百分之二二，一九三七年占百分之二〇，一九三八年占百分之三二点三。一九三九年以后，由于二次世界大战在欧洲爆发，和美国宣布废除《日美商约》，两国间的贸易关系才松弛下去。然而自一九三七年中日战争爆发以后的四年中间，美国卖给日本的军用原料（如钢铁）和制成品（如汽油、飞机、机器装备等）价值已达十万万美元之巨。试看下表：

美国历年对日输出额表

年份	数额（单位一千美元）
1937	288,558.0
1938	239,662.0
1939	231,418.0
1940	227,204.0
1941	（1—5月）47,184.0
总计	1,034,026.0

（四）日苏间的贸易关系

最后还有必要简单地说一说苏联和日本的贸易关系，尽管它在整个太平洋贸易中所占的比重是极为微小的。

苏日贸易历来都是很冷淡的，从苏联实施第一个五年计划的第一年——一九二七年起到一九三八年止，这十年间，苏日贸易每年平均额仅四千六百万元，与一九三八年日美贸易相比，尚不到三十分之一。苏日贸易如此冷淡是日本法西斯军阀政府一贯敌视苏联的结果。

有一点值得注意的，即与美日贸易的情形相反，苏日贸易在日本侵华战争未爆发前，尚逐年有些许的增进，但自这一战争发生以后，它就急遽地下降了。在日本侵华战以前，一九三五年苏日贸易总额为四千六百余万元，一九三六年为五千二百余万元。战后，一九三七年为四千一百余万元，一九三八年为五百六十余万元，而一九三九年上半年仅三十万元。由于日寇在苏伪（张鼓峰）和蒙伪（诺门坎）两处挑衅，引起了军事冲突的结果，一九三九——四〇年日苏贸易弄得一落千丈。

同时，日苏贸易中还有一点很重要的事实应当注意的，就是苏联对日的输出都是普通的商品，没有军火，也没有军事原料。一九三七年日本三亿一千七百余万美元的巨额军需品输入数字中，没有半元是从苏联输入的。苏联虽有大量的石油和皮毛出口，但是日本却未曾从苏联方面得到一滴石油，一根羊毛。

二　投资关系

资本输出是独占资本主义时代的特征之一。在这一时代，资本输出的意义，事实上驾凌于商品输出之上。

由于各先进资本主义国家国内资本过剩，它们就得向海外去找寻出路。把国内的剩余资本投放到国外去，就可使这部分资本不至于闲散起来，而能在国外生产利润，以便更进一步扩大本国的资本积累。同时，它们还可以借海外投资来保障和扩展国外的商品市场，夺取或垄断国外的重要资源，以供给本国工业或国防上的需要。不但这样，对外投资还有一种重要的作用，就是资本输出国可以借此操纵或至少影响对手国的政治和经济的实权，这特别对于半殖民地落后国家是如此的。

太平洋方面的投资竞争，远不如商品市场竞争那么复杂和普遍。因为资本输出（以企业投资与借款为主要形式）所受的政治限制，较之商品输出为严。例如日本的商品可以滚滚流入英国的属地中去，但是日本要对如像马来亚或印度成立借款，或在那些地方投资开办工矿交通事业，那是英国所不能容忍的。这就是说，资本输出的竞争范围，主要地往往限于半殖民地（包括自治领），落后国家或资本主义经济不充分发达的那些国家。由是，太平洋方面的投资竞争，大体上就只限于美英角逐的拉丁美洲和英美日等共同和相互竞夺的中国了。不过有一个重大的例外，这就是加拿大。加拿大虽名为大英帝国的成员之一，但是谁也知道，那里的美国投资额，大大地超过了英国的投资。

先就英美两国在拉丁美洲的投资竞争，来作一个今昔的比较吧。

在第一次世界大战前夜，即在一九一三年，英国在拉丁美洲各国的投资，要比美国的投资大得多。

1913 年英美在拉丁美洲的投资比较（单位一千美元）

	中美	南美	合计
英国	1,148,407	3,834,913	4,983,320
美国	1,069,000	173,000	1,242,000

可是到一九二九年，局面完全颠倒过来了。请看一九二九年英美在拉丁美洲的投资比较吧（单位一千美元）：

		中美	南美	合计
英国	该年实额	1,404,260	4,485,093	5,889,353
	对 1913 年之增加率	22.28%	16.95%	18.18%
美国	该年实额	3,293,282	2,294,212	5,587,494
	对 1913 年之增加率	308.07%	1,226.13%	349.88%

这里可以看出，在一九一三至一九二九这十六年

间，美国对中南美的投资增加了三倍半，而英国增加了不到百分之二〇。

至于对加拿大的投资上，美国也排挤了英国的地位。一九二四年美对加投资为二十八万万美元，至一九二八年已增至四十一万万美元。而英国对加拿大和纽芬兰的投资，在一九一三年为五亿一千五百万镑（约等于二十五万万美元），至一九二八年反而减为五亿一千三百万镑了（即几乎不变）。至一九三三年，加拿大的外资，有六分之五操在美国金融资本掌握中，而英国不过占六分之一而已。

日本和英美诸强的投资竞争，主要地只在中国市场上。日本因为金融资本的力量远较英美为薄弱，所以它常常用政治的控制和军事的侵略来补充它资本贫弱的缺陷。根据一九三〇年《日本经济年报》的计算，列强对华投资额约如下表（单位一千万元）：

国别	企业投资	借款	合计	百分比
日本	180	73	253	53
英国	80	36	116	24
美国	27	7	34	7
法国	10	8	18	4

再依据雷麦（Remer）所著《外国在华投资》一书的统计，则揭示了以下的数字：

大战后列强对华投资消长表（单位百万元）

	1914 年		1931 年	
	数额	百分比	数额	百分比
英国	607.5	37.7	1,189.2	36.7
日本	219.6	13.6	1,136.9	35.1
美国	49.3	3.1	196.8	6.1

自“九·一八”事变以来，日本在东北四省的投资更有飞跃的增加。一九三四年，在东北的外资中，日资已占百分之八十弱。长城战役以后，它在上海、平津、青岛、济南等地的投资，也日趋激增。当时中国民族工业（特别是棉纺织业）因受世界经济恐慌的打击和外国资本的压迫而纷纷出倒，一大部分（如上海的申新七厂）便是被日本收买去的。在这期间，美国对华有过五千万元的棉麦借款，在华中则投资发展航空与公路交通。英国则帮助中国改革了币制（一九三五年十一月），把中国拉入了“英镑集团”，并借款给中国建筑粤汉铁路。这些便是中日战争前，英美日三国在华投

资竞争的大致情形。

三　原料的争夺战

除商品市场战和投资竞争外，独占资本主义时代的第三种对外经济竞争方式，便是原料的争夺战。太平洋上争夺原料的舞台，大体是在三个地域上：一是南洋群岛，一是中南美方面，一是中国。

南洋方面为资本主义列强所瞩目的重要原料，第一是橡皮，第二是锡，再次是石油（荷印）。橡皮的用途是随汽车工业航空工业的发达和军队机械化的普遍而激增。以一九二五年论，橡皮出产于马来亚者，占全世界总产额百分之四八点六，出产于荷印者，占百分之三八点六。英国控制世界橡皮总产量百分之九十，而它自身的橡皮消费量仅占世界总产量百分之七。反之，自己产橡皮不多的美国，其橡皮消费量竟达总产量的百分之七十。日本消费量虽远不如美国，但它的增加率甚大：由一九二六年的一万八千吨，至一九三四年已增加到七万四千吨，即增加四倍以上。由此可知上述三强对橡皮的争夺是非常激烈的。

与橡皮同样为汽车，飞机及其他机器军火制造业所必需的锡的生产，亦有百分之五十五以上，控制在英国手中。而英国每年锡的消费量仅占全世界锡产的百分之十五。自己产锡极少的美国，锡的消费量却占全世界锡产的百分之五十以上。日本亦因近年用锡工业的发达，每年须有大量的锡自国外输入。

在这种局面之下，日本和美国就竭力要打进英帝国的属地内去争取橡胶和锡。日本因为自身资本薄弱，常常用非经济的手段，引诱马来亚，荷印等属地来供给它的需要。美国对付英国的手段，利用它的独占地位抬高这两种原料的价格，来夺取这些地方的橡胶和锡。

至于荷印所产的石油，则特别为日本所垂涎。不过直到太平洋战争爆发，日寇军事占领了荷印之时为止，日本从荷印方面所取得的石油，为数并不甚多。在这次大战前，日寇大部分输入的石油和汽油是由美国供给的。

第二个原料争夺的场所是中南美洲。

素以产银第一，产石油第二见称的墨西哥，因其拥有此等资源，才成为英美二国资本的角逐对象。二十世纪之初，美国即在墨建立两大煤油公司：一为墨西哥油公司，一为大美洲煤油公司。至一次大战爆发前夜，美国的墨西哥鹰牌煤油公司，成了美国的劲敌，而支配着墨西哥煤油产量的百分之五十以上。在大战期间，美国乘机增大了对于墨西哥的控制力；战后美国系的煤油公司（大股东即煤油大王杜亨尼［L. Doheny］）还斥巨资扶植一墨西哥的亲美政府，从此美国在墨的煤油争夺战，才获胜利。

他如秘鲁、智利等国，颇饶矿产；秘鲁以铜铁著称，智利则富硝石。以前这些地方为英德资本角逐的对象，今则已被美国所控制。一九三二——三五年巴拉圭和玻利维亚的大厦谷之战，显然反映着英美两国在该两国的投资和资源的争夺战。

日本从第一次大战以来，特别是在这次世界大战爆发前的十年来，除了在南洋方面时时在努力乘隙侵入外，虽亦想在南北美洲加入争夺原料产地的斗争，但它在那方面却始终无法打下根基。这里的原因，一半由于它缺乏雄厚的资本，而一半则由于它要竭全力“经营”

中国。在对中国原料的争夺战上，日本显然占了极大的优势。根据一九三四年日本内阁资源调查的数字，其主要资源平时供求状况如下：

铁矿——每年消费三百十万公吨以上，本国产额仅一百二十万公吨。

铣铁——每年消费一百七十二万公吨，本国产额仅一百二十万公吨。

铅——每年消费一万公吨，国产全无。

煤油——每年消费三〇五万五千公吨，国产仅二五万五千公吨。

棉花——每年消费七六万公吨以上，国产几乎没有。

橡皮——每年消费五万七千公吨，国产全无。

日本所需要这一切原料，除橡皮等一二项外，其余在中国均应有尽有。"九·一八"事变的结果，日本已将东北四省的丰富矿产、原料、粮食，完全置于自己控制之下了：

铁矿——埋藏量八万万公吨（约当日本二百年间的消费量）

煤矿——埋藏量三十至五十万万公吨（约当日本

一百年间的消费量）

煤油——埋藏量五五万万公吨（日本本国年产只三〇万公吨）

金——埋藏量三百五十万公吨（日本本国年产只一万余公吨）

羊毛——年产五百五十万斤（日本本国产量极少）

棉花——年产二千六百万斤（同上）

杂粮（大豆、高粱、粟）——年产约一万万石

小麦——年产约一千万石

日本囊括了我东北诸省的富源，还不引为满足，于是接着它又看中了华北。在长城战役以后到“七七”事变这一时期，日本在“开发”华北的过程中，它还在计划开发湖北的象鼻山、灵乡山，安徽的太平南北区，桃冲铜官山，以及江苏的凤凰山等长江沿岸的矿山了。一九三五——三六年间，日本调查中国富源的考察团等组织，接踵而来中国，华中、华西、华南都成为日寇“光愿”的范围了。幸而我伟大的全面抗战爆发，粉碎了日寇蚕食和鲸吞中国的幻想，不然的话，全中国的资源财富早就被倭贼抢光，中国民族也永远不得再起了！

第十章　太平洋战争之由来

一　太平洋列强的主要政策

为了明了太平洋战争所以终于不能避免，让我们先来简略地说一说日美英三国在太平洋上的主要政策。

（一）日本的大陆政策和南进政策

日本在一九〇五年击败俄国后，从俄国手里夺取了南满的势力范围。日本为着独占南满，排斥其他一切列强势力计，提出了所谓“东亚门罗主义”，以与美国的“门户开放，机会均等”的政策相对抗。但是在华盛顿会议中，由于英美的共同压力，迫得日本不得不暂时放下“东亚门罗主义”的旗帜；加之美国的资本和贸易在华会以后积极向东北（主要是北满）扩展，更威胁到日本在满洲的特权和利益。在《田中奏折》中对于华府会议这样写着："抑以华盛顿会议成立《九国公约》，我之满洲特权及利益概被限制，不能自由行动；我国之存在，随亦感受动摇。"

日本帝国主义为谋打破此种难关于是有《田中奏折》中所提出的"大陆政策"。所谓大陆政策，无非就是要占领整个满蒙，进而灭亡我全中国，并以我国为南进根据地，瓜分西南太平洋上的一切殖民地。在《田中奏折》中露骨地写着："惟欲征服支那，必先征服满蒙；如欲征服世界，必先征服支那。倘支那完全可被我国征服，其他各小中亚细亚及印度南洋等异服之民族，必畏我敬我而降于我。"继续又说到："我对满蒙之权利如可真实到手，则以满蒙为根据……攫取全支那之利源。以支那之富源，作为征服印度、南洋各岛及中小亚细亚与欧罗巴之用。"

在《田中奏折》中就已估计到日本的大陆政策，首先就要与美国的远东政策发生锐利的冲突。因此，田中在奏折中说到："斯时也，我之对美角逐，势不容辞。……将来欲制支那，必以打倒美国势力为先决问题。"

一九三一年占领我东北四省继续扩大它对我国的侵略；一九三七年大规模地进攻中国，企图灭亡整个的中国。这些便是日本帝国主义者田中这一强盗计划的具体实现。

日本在侵略中国的战争中，占领了中国的许多重要地域——特别是我国北方及南方各省所有沿海沿江和铁道交通发达的重要都市，它在这些地域内无情地排除了第三国的利益。但是日本并不以此为满足，在日本法西斯军阀首脑部看来，当时（指太平洋战争前夜的一个时期）有两个主要的条件，要求急速的实行南进，“第一是欧洲方面的战争对日本造成了有利的条件；第二是美国庞大的海军计划当未完成”。因此，日本军阀就认为这是执行南进政策的千载一时的机会，于是他们就等不及结束所谓“中国事件”，即要急于南进了。

从第一次世界大战后，日本在太平洋上的活动就日益积极，而日本在南太平洋上的经济利益也日益扩大，日本对菲律宾、荷印、澳洲、马来，以及印度的贸易额是很大的，而且是逐年在增加的。这些地区是日本棉织物的主要消费者。而荷印的汽油、树胶、锡，以及澳洲的羊毛，又是日本最缺乏的燃料和原料。

由于法国和荷兰的失败，以及英国被欧洲战局所束缚，于是接受法荷二国在太平洋的殖民地及夺取英国在太平洋的属地的问题，就随之而紧张起来。在这里，谁来继承这些失败国的殖民地的问题，引起了严重的斗争。美国以盟邦的资格，当然想来接管英荷在太平洋上的殖民地，即在英荷方面也愿意它们的盟邦美国来尽保护之责，总比被敌人夺去强得多。可是这里却遇到了日本的阻碍。日本帝国主义于一九三八年底所宣布的“东亚新秩序”，就是宣布排除第三国在华的权益。一九四〇年七月间又宣布了“大东亚新秩序”，那已是包括马来、越南、泰、缅及南洋群岛在内的大劫掠计划了。

很明显的，日本大陆政策和南进政策的逐步实现，异常严重地威胁着英美在太平洋上的原有地位。

（二）美国的远东利益和远东政策

远自日俄战争后，尤其是第一次世界大战和一九二一年华府会议以后，美国和日本在整个国际关系发展的进程中，成了太平洋上互争霸权的主要角色。

美国在太平洋上的经济利益是非常之大的。它在太平洋上的贸易关系中，占着极其重要的地位。一九三八年，英国对东亚和东南亚洲以及海洋洲的输出，占它全部输出额的百分之二五点四，同时对加拿大和纽芬兰的输出占百分之一四点六，对拉丁美洲的输出占百分之二四点八，对欧洲的输出占百分之二八点八。从另一方面说，美国必须从太平洋亚洲各国取得有重大经济意义和军事意义的原料，如橡皮、锡、植物油、钨、丝等。美国在中国的资本有二万五千万美元。从一九三二年到一九三七年，美国对华输出，超过英国和日本而居第一位。一九三七年美国对华输出占百分之二七点五；到了日本进攻中国以后，由于日本对中国市场的垄断和封锁，美国对华输出才趋缩减。更重要的，如果日本占领全中国而向南洋进展，则美国在西太平洋的势力就有被赶出的危险。

美国基本的远东政策即是一八九九年所宣布的“门户开放”，“机会均等”的政策。这一政策，在第一次世界大战时，由于日本提出了二十一条及对中国市场的独占，遭受了重大的打击。于是美国在大战结束后，召集华盛顿会议成立《九国公约》，恢复了它的“门户开放”政策，直到一九三一年的“九·一八”事变，日本又破坏了《九国公约》。经过一九三七年日本发动对华的全面侵略战，美国在华的权益，就受到了全面的威胁。这样就引起美国对远东政策的积极化。一九三九年七月，它就宣布废除《日美商约》，反对日本的“东亚新秩序”；美国企图借此压迫日本，促其适可而止。

可是日本为着答复美国废除《日美商约》和对日禁运的威胁，就加强它在南太平洋和拉丁美洲的活动。它企图利用欧战的有利条件，尽力向荷印、马来、安南、澳洲等地压迫，以便攫取那些地方的资源。同时日本又开始向拉丁美洲，如阿根廷、巴西、墨西哥等国扩展其商务关系。

当时美国因自己的大海军建设计划尚未实现，而惧怕日本的强大海军，所以曾对日本作相当的让步，以图缓和日本的侵进活动。可是美国对日的一切让步，均未能阻止日本的侵略气焰，反而使日本更加猖狂：一九四〇年九月，它和德意签订军事同盟，并实行军事占领越南，积极向荷印及南太平洋上进展侵略的触须。这样就不得不使美国的政策更趋积极化，对日本采取强硬政策。它通过了一百五十万万美元的大军扩经费案，实行征兵法，常备军增至一百二十万，飞机定货达一万五千余架，建造新战舰二百艘。同时召集泛美会议，把拉丁美洲控制在美国金融资本的控制之下，宣布美加联防，签订英美海军协定和谈判英美澳联防计划，借用新加坡军港，宣布禁止废钢铁，汽油及飞机零件售日，对中国贷与借款支持中国抗战等等，——这些便是美国对付日本的一连串的积极步骤。

这些事实都证明太平洋上的日美战争已成为箭在弦上的直接威胁。

（三）英国的远东利益和远东政策

英国与美国的区别，就是它与日本有过长期的同盟关系。英国向来对远东的政策是力图把日本作为反对它自己的劲敌的助手：在第一次大战前，它会利用日本作为它反对帝俄的助手，后来又利用日本来帮助它反对美国。一九三一年日本的占领满洲，就是在英国默认的条件之下演出的。当时英国企图牺牲中国以求得与日本的妥协，以便保持它自己在远东的利益。

可是英国当时是打算错了：日本并不以英国的让步为满足。日本的目的，如前所述，是企图独吞中国并向西南太平洋扩展其势力范围，而且根本要把英美等势力从远东和西太平洋驱逐出去。这样就伤害到英国的远东利益，并大大地威胁到英国在太平洋和印度洋的全部权益。

英国是太平洋上占有广大属地的一个国家。这些属地对于英国本国有着极重要的经济和军事的意义。英国在太平洋上有重大意义的属地就是马来亚、香港、澳洲和新西兰等。马来是世界出产树胶和锡的中心；香港是保护远东利益的前哨据点，澳洲和新西兰是英国农产品和粮食的重要供给地。

英国在中国有巨额的投资，占外国在华投资总额的百分之三六点七。英国在远东和海洋洲的对外贸易，占英国全部对外贸易的五分之一；在这些地域内的投资，占英国海外投资总额的三分之一。同时，南太平洋又是与印度洋相毗连，而印度乃是英国的“生命线”。

从日本占领我东北诸省一直到中日战争的爆发，这一时期英国对日本的侵略是一贯采取让步和放任的态度。中日战争开始后，英国先仍采取所谓“不干涉”政策：一方面贷给中国一点借款，支持中国的外汇，另一方面也不拒绝供给日本以军用原料。

英国对日的这种让步，放任和姑息的政策，无疑地是客观上助长了日本的侵略气焰。日本并不以英国的让步和放任为满足；日本的目的是在根本排斥英国在远东在西太平洋上的势力，瓜分英国在太平洋上的殖民地。欧洲战争一发生，英国的主要军力被牵制在欧洲和大西洋上。日本就利用这一机会，一步步地排除英国在中国和整个远东的势力。到了日本占领越南和控制泰国后，它已直接威胁到英属的马来亚和缅甸了。

英国因为自己的主力被欧战牵制住，没有力量顾及远东，就继续对日不断成立妥协。英国曾将中国在天津的存银转交给日本，曾撤退英国在天津，上海的驻军，以及封锁滇缅公路等等；用这一切办法以求得对日本的妥协。但是英国对日的任何妥协，丝毫也不能消除日本对英国在太平洋上的利益和属地的直接威胁。

二　太平洋大战前的一般形势

一九四一年十二月七日，日本法西斯侵略者，竟当自己的“和平”专使来栖和驻美大使野村尚在华盛顿进行谈判时，突然背信奇袭夏威夷珍珠港和新加坡，香港，掀起了太平洋大战。第二次世界大战从此遂蔓延到了全世界，形成了真正名符其实的全世界范围的大战。

在本书第一章中已经说到，从“九·一八”沈阳事变到“七七”芦沟桥事变这一时期中太平洋形势的特点是日本帝国主义破坏《九国公约》的和平体系的公开行动时期。这时日本公然实行其《田中奏折》内的大陆侵略政策，妄图征服中国，驱逐英美等势力于亚洲大陆之外，从实际行动上撕毁了《九国公约》，破坏太平洋方面的和平均势。从“七七”事变到一九四一年十二月太平洋大战的爆发是日本法西斯强盗，由亚洲大陆而逐渐南进，由蚕食越南，泰国而发展到大规模发动鲸吞南洋群岛和整个西南太平洋的全面侵略战的阶段。它的企图正如前面已经一再指出，是想把英美等列强的势力从远东和西南太平洋完全驱逐出去。要明白太平洋战争之所以发生，让我们先来考察一下战争的太平洋一般形势。

一九三一年日寇占领我东北诸省后，又不断地向淞沪、内蒙、关内、华北各省进攻：这不单是直接大规模地侵略我国的领土和破坏我国的主权，而且同时也就是在驱除英美诸国之势力（经济的和政治的）出中国，而梦想独吞我国。一九三七年七月到八月，日本法西斯军阀占领天津、北平，侵入华中和进攻上海，实行其全面进攻中国的大规模侵略战，它的目的显然不只在征服全中国，亦不只在驱除英美等势力出中国，而且是要进一步以中国为根据地，积极南进，以夺取欧美列强在太平洋上的殖民地。一九三九年二月日寇占领了我华南的海南岛；一九四〇年九月寇军又进占越南，接连又与德意成立了三国军事同盟，进一步又把泰国放在自己卵翼之下。这些都是日寇实现其南进侵略政策的露骨表现。于是太平洋战争乃由长期酝酿而变成一触即发不可避免的灾祸了。

自日寇加入轴心三国同盟后，太平洋上对立的壁垒已经旗帜鲜明：一方面是日本法西斯侵略者，另一方面是反法西斯反侵略的美、英、荷、澳、菲、加及坚持长期艰苦抗战的伟大的中国。此外，日苏间虽在一九四一年四月签订了中立协定，但事实上苏联仍无疑地是日寇的潜在敌。

这样，在太平洋战争前夜，一般的形势显然是不利于日寇的。第一，由于十年来（即“九·一八”事变以来）的四面树敌，日寇的地位完全陷于孤立。它虽与轴心结伙打劫，然而不能与轴心的匪首——纳粹德国——取得联络。它的战略形势是处在四面包围之中：北面有陆空军十分强大的苏联；东面有海军和一般军力非常充实的美国；南面有防范森严的英、美、荷兰的殖民地；西面则有全面抗战的四亿五千万人的中国。日本简直有鳖处瓮中之慨。

其次，由于日本经济力量的薄弱，一切重要战争资源的缺乏，除煤以外，绝对大部分资源，须仰给于外国；重工业——尤其是煆炼、飞机、造船等部门的工业——远不如美英等民主国家；金融和贸易方面对外国，特别是对美国的依赖性极大：由于这种种经济上的弱点，它显然不能支持一个大规模的长期的现代战争——即所谓总力战争（Totale Krieg）。

第三，由于在华作战多年，日本的陆军已有了相当大的消耗；尤其在军队的素质方面，在士气方面，因为用尽了一切方法——屠杀、怀柔、威迫、利诱、封锁、分化等等方法——始终不能解决“中国事件”，早已丧失了自信心，表现了日益衰退的趋势。空军的素质，因数年来在中国空中表演成绩本来不佳，引起国际对它的轻视；而且训练有素的优秀部队，早已在中国空战中牺牲了一大部分，所以更不能与联合国（即同盟国）的空军相比拟。而且日本大部分飞机摩托和汽油向来须赖美国供给的。当时日本海军固然还原封不动，然仅对美国已属三与五的劣势比例，假如再加上德国击败后从大西洋地中海上移过来的强大的英国海军（自法国加入盟方和法西斯意大利崩溃后，将来还可能加上法意两国的海军）的话，那么日本的不堪这样强大的反侵略国家的联合一击，是非常的显明。

反之，在以美国为首的联合国方面，则不论在经济的生产力方面，在作战资源方面，在战略形势方面，在军备实力方面，都超过日本而占很大的优势。

但虽然如此，日本所处的不利形势却也并非绝对的，它也有它的许多有利之点——特别是在太平洋战争的初期。第一，日寇固然处于四面包围之中，但是正因它受着战略形势上的包围，它却处在内线作战的有利地位。这种有利的战略地位，可以使它的主力集中于中央，利用较短的交通线，随时运输优势的兵力到必要的地点，以发动强有力的攻势。只要日寇能争取到主动（如太平洋战争初期的情形），它必能占到极大的便宜。

反之，太平洋上的反侵略阵营却自始处于外线的地位。同盟国（即联合国）的战线长得可惊，交通线更比敌人长过数倍。如果它们自甘处于被动（如战争初期的情形），那么势必捉襟见肘，将有疲于奔命之苦。

其次，日本的军力虽在数字上居于劣势，然而它的力量集中，指挥统一，特别是它的海军，只要对付一个战场。而同盟国方面总军力虽绝对地压倒日本，但是它分散在全球，特别在欧洲战争未达到胜利的结束以前，它们把主力集中于对付希特勒；在太平洋大战前夜，美国驻扎在太平洋方面的海军实力当稍逊于日本海军，英国舰队则大部分集中在大西洋和地中海，留在远东的，力量更为薄弱，所以至少在战争初期，日本海军是无疑地可占着相当大的优势。而且盟国的海陆军成分比较复杂，这里除英美两国的队伍外，还有澳大利亚的，加拿大的，新西兰的，菲律宾的，荷属东印度的，乃至马来亚的和缅甸的海陆军队。简单说一句，有一大部分是各个不同民族的（或不同种族的）殖民地军队。军队构成成分既如此复杂，指挥上当然不能如对本国军队那样的统一。加上它们的战斗力又参差不齐，战略形势上又处于外线作战的地位；假如作战中不能取得主动地位，则作战效率必将大打折扣；战线太长，颇有被各个击破的危险。

再次，日本因处于内线作战的地位，而且力量集中在西太平洋一隅，它在兵力运输上可以随时迅速地集中，迅速地进攻。盟国海军则因交通线过长，兵力分散于全世界，在时空条件上均陷于不利。美国平时没有国防准备，到了时局已经日益紧张起来时，它的全国军事动员依然进行非常迟缓，这对于反侵略阵营当然更为不利。

最后，从政治方面说，由于日本侵略的对象大部分是英、美、荷诸国的殖民地，太平洋战争中必然包括殖民地的再分割战，同时也必然带有殖民地被压迫民族的解放斗争的性质，因此反侵略阵营里的英、美、荷，尤其是英国，必然要在战争中遭遇到一种不利的政治因素：殖民地民族的独立运动。如果宗主国平时对付它的殖民地的政策还相当开明，那问题还小，如果平时对殖民地人民的压迫过重，那问题就严重了。敌人可利用这一弱点，对那些竭望从原宗主国压迫之下求解放的弱小民族，实行其欺骗、蛊惑、麻醉、挑拨离间的政策，使这些民族不但不帮助同盟国，有时反而助桀为虐（如在缅甸所表现的）！

以上所述同盟国方面的种种不利之点，在太平洋战争初期都完全暴露出来了。

三　太平洋战争的直接肇因

太平洋战争所以成为不可避免的基本原因已如上述（乃寓于日美英三国政策，尤其是日美二国的太平洋政策之不可调和的矛盾中），现在要把这一战争所以不迟不早爆发在一九四一年尾的直接肇因，简单地说明一下。

日本配合欧洲轴心国的侵略行动，本有两个可进的方向：北进或者南进。北进是从东面配合德国夹击苏联；南进是配合欧洲轴心国的向近东扩展侵略而自己从西南太平洋驱逐英美势力，侵占太平洋上英美法等国的殖民地，并进一步侵入印度洋以威胁印度而与来自近东的德意侵略军会师。但从这次世界大战前一年到太平洋战争爆发的前夜，事实上日本大规模的侵略行动，是着重在南进的方向上作积极准备的。北进的实际行动，虽早在一九三八年七月就发动了张鼓峰事件，翌年八月又发动了诺门坎事件，但这些行动显然主要地只是试探性质的步骤；而且吃了那两次铁拳，反而更坚定了日阀南进的决心，因为受了那两次教训之后，它已充分地领教了苏联的实力，而且就自身的实际利益讲，当然南进比北进强得多；南进是利多于“义”，北进则“义”多于利；大批的英美荷殖民地，丰富的南洋资源，都可借南进而获得，进攻荒寒的西比利亚，纵然为心为意地攻进了，也得不到像南洋那么丰富的资源。再则，南进对付英美又比北进对付红军容易得多，有把握得多。至于适合不适合西方轴心伙伴的要求（即所谓“义”），那是日阀内心所不感兴趣的。

在日寇的算盘上，南进还有一个重大的打算，那就是彻底断绝我国的外援，自南（越南、缅甸、香港）造成对我的全面包围形势，切断我一切的国际交通，妄想借此以迫我屈膝。

日寇准备南进的大规模侵略，在太平洋战争前至少有了四年的准备功夫。据美国研究日本战时经济问题的专家史特恩堡在一九四二年八月份的《亚细亚月刊》所著一文的估计，在这次太平洋战争爆发以前，日寇陆军除了对华战争以外，已用了二百万万日元以上的军费。这就是说，在珍珠港事件以前，日寇已积聚了比太平洋战争发生后每年军费支出两倍半的军火储藏了。事实上，日寇的准备还不仅表现于军费方面，而且也表现于南进的实际军事布置方面。一九三八年日本大举侵入华南，进兵广州，占领海南岛，西沙群岛和斯巴特莱群岛，置中国南海岸于其完全控制之下，包围封锁香港，开始建立了南进第一步的重要根据地。日寇的南进准备，于此可说已经具体化了。不仅这样，从占领海南岛时开始，日寇且已着手积极训练南洋热带岛屿的登陆战和丛林战术的部队了。美国人盖恩在一九四二年四月份美国的《读者文摘》上著文揭露日寇准备对英美作战的经过。其中有一段说：

> 海南岛是一个准备从事侵略的大学校。在这里，大约有十个师团，学习了十五个月进攻马来亚和缅甸的课程。侵略的作战计划，在四五年前即已拟定；战术则确定于一九三八年，并曾在岛上繁茂而多蛇的丛林中，经过严格的试验。

一九四〇年六月德军在西线的闪电胜利，送来了日寇所等待的黄金机会。它经过了几年徘徊与观望之后，到这时就决定开始南进的实际行动；进兵越南北圻，以便进一步通过泰国而进窥马来、缅甸。它一面加紧封锁中国，一面从事建立第二步南进的根据地。它又决定加入轴心三国同盟；它更和苏联签订了《日苏中立协定》（一九四一年四月）；最后它和法国维琪政府成立《越南联防协定》，事实上占领了越南全部，并把泰国整个地放在自己卵翼之下。到了这时，日寇大规模南进的太平洋战争已经完全准备就绪，随时随刻都可以爆发的了。

日寇所以在一九四一年十二月初发动太平洋大战，主要地固由于它要利用希特勒大举进攻苏联正在节节推进和顺利扩展的时机，一方面希特勒的大军已经牵住了苏联，消除了日寇的后顾之忧：另一方面英美更急于集中全力以对付德国，一时没有兼顾太平洋的力量，“中国事件”虽未解决，但因中国缺乏重兵器和飞机，国外的接济不够，尚力不足以发动强大的反攻，而且只要南进成功，日寇不但可以自南进攻中国（滇、桂），而且可以完全切断中国的国际孔道，妄图借此以致中国的死命；然而英美当局的事前缺乏准备，估低敌人，疏于防范和事后不以强硬态度制止日寇南进的侵略步骤（如侵入华南，占领海南岛，进兵越南，控制泰国等等），向来只知一味妥协、退让，甚至牺牲弱者，以图缓和日寇的扩展侵略。英美的这种政策和企图显然是失败了。

假使说日本的准备南进和发动太平洋侵略战的动

机，至少已蓄了四年有余，说得远一点是有十年以上（自“九·一八”事变算起）的历史，那么英国在远东方面对抗日本的军事，可说毫无准备。美国到一九四一年遭受到日寇的一再追胁，但那时它的两洋海军建设计划和整个陆空军大建设计划都仅只开始实施，它在远东和西太平洋方面，也可以说是毫无准备。一九四〇年九月以后，英美在大西洋上的联防已经在着着进行，而在太平洋上则毫无动静。英美海军联防星洲之说，虽一再传出，而实际上却并未成为事实。英美在西南太平洋的属地上，虽有丰富的军事资源，但无军需工业的基础。这也是充分证明英美平时的疏于准备。美国对于日本的开始着着南进的准备步骤，除加紧完成新加坡军港建筑外，始终没有更切实的更有力的答复。虽然当侵略者的铁蹄已经踏进南洋的大门（进兵越南南部）时，英国也曾派了二千加拿大军到香港，派主力舰威尔斯亲王号等防守新加坡，但这些措置显然只是为着恐吓日本，希望它勿再乱动，企图借此拖延战争的爆发。战争发生前一年内英美对日的许多宣传和谈判，都以此为目的。

英美对日之所以疏于防备，是因为它们把自己的力量估计得过高，而尤其是把敌人的力量估计得太低。它们始终放弃争取主动，忽略积极的军事准备，只知一味姑息，不肯采取强硬态度，一贯地妄图借外交和经济的压力以促使日本退让。这样才使日寇能时时处于政略战略上的主动地位，选定最适合于自己利益的时间来发动大战。反过来说，假定英美能在日寇实行第一步南进准备步骤时（占领海南岛时）即毅然决然放弃姑息退让政策，而出以联合的强硬行动，则日寇以后的南进步骤尚可相当遏制，至少也得被迫延缓。再假定一九四一年六月乘德寇进攻苏联无暇西顾之时，英美争取主动，集中强大军力于远东，以英美荷及其殖民地自治领的联合实力（当然不是说英美须把全部主力都调到太平洋上来，只要这种联合起来的实力总和能压倒日寇的实力就成），来对付日寇，予中国以大量的援助，从大陆上实行反攻倭贼，那么还可以亡羊补牢，制止日寇主动地大规模侵略战，解除南洋一带所受的威胁。然而英美一误再误，坐失良机，客观上促成了日寇的发动大战。最令人可笑又可叹的是当日寇的发动大战已经万事俱备，只待最后一声号令的时候，日寇为要争取战斗部队开到火线上去的时间和为要偷袭英美太平洋舰队主力集中地，而阴险狡狯地派来栖到华盛顿去“谈判”，实施其古今中外绝无仅有的欺诈伎俩，而英美当局竟仍被蒙在鼓中，上了这法西斯侵略恶魔的大当！

于是，就造成了一九四一年十二月七日这悲痛的日子。

第十一章　太平洋战争之现势与展望

在本书第一章中，我们把太平洋战争爆发以来到现在的战局形势的发展分为两个阶段。第一阶段是从大战开幕到一九四二年五月，是日寇利用其先发制人的主动优势和内线作战的有利地位以实行全面进攻而取得节节胜利的阶段。在同盟国方面则由于事先疏于防范，准备太不充分，迷恋于借外交途径或空言恐吓以图延缓战争的爆发，卒至临事措手不及，被迫纷纷放弃其在西南太平洋上原有的重要根据地，以至陷于战略劣势的地位。

第二个阶段是从一九四二年五六两月珊瑚海和中途岛两次大海空战中，美澳联军获得辉煌战果时起，直到最近（一九四三年底）尚在继续中的这个阶段。这是战略相持和进行长期消耗战的阶段。一九四二年五月初的珊瑚海大战和六月初的中途岛附近海面大海空战中盟军获得两次大捷，扭转了整个太平洋上的战略形势。从那时起，日寇在太平洋上的大规模战略攻势已被堵住。再从一九四二年八月初旬美澳联军发动了所罗门群岛之海空战起，战争的主动权乃由日寇而逐渐转入同盟国之手。从此同盟国借其强大的海空军不断地进行局部反攻，日寇在大洋上逐渐失去了战略主力的有利地位，战争乃进入长期消耗的相持局面了。

要明了太平洋战争发生以来整个战局的发展过程，必须把过去两年余来战争发展两个阶段的具体经过，拿来细细考察一下。

一　第一阶段战争的经过

一九四一年十一月二十六日，美国国务卿赫尔以下列三个条件递交日方“和平”使者来栖和野村：（一）日本脱离轴心，（二）日军由中国全部撤退，（三）日本停止支持南京傀儡政权。这是一个非常强硬的最后通牒。十二月七日（在我们东半球是八日）日寇却采取了老早就准备好的最无耻和卑鄙的阴谋答复：日寇的海空军突然奇袭珍珠港，同时海盗式地进攻西南太平洋英美各属地。在战争开始了几小时之后，来栖、野村这两个大骗子才把倭政府的复牒送到了美国的国务部。

历史上空前的太平洋大战就是这样地爆发了。从珍珠港和新加坡海面两处所受的惨重创伤看来，可知英美当局事前并未料到日寇的这一着；它们对于太平洋战争一般地既缺乏充分的准备，又没有在事变前夜十分紧张的情势之下作万一的防备，这正好便利了日寇作这一卑鄙阴谋的冒险尝试。太平洋战争第一阶段中日寇所得顺利进展，主要原因显然在此。

（一）珍珠港等之役

十二月七日下午四时，日本海军飞机大队和潜艇特殊部队，对美国太平洋舰队根据地珍珠港突然发动奇袭，美方完全出乎意外，其主力舰队全部静泊港中，毫无防备；及日寇潜艇开始发射鱼雷，日机从空中抛下炸弹，海军人员才起而仓猝应战，结果美方损失极大。据诺克斯海长事后公布，美国在这次被袭中的损失，计沉毁主力舰“亚利桑那”号，“奥克拉荷马”号及“乌塔”

号等三艘，重伤者二艘，驱逐舰及潜水艇等伤沉数十艘，飞机被毁二百余架，海军兵员死者二千一百十七人，伤及失踪者一千八百三十七人。同日由新加坡东海面前往参加作战的英国主力舰“威尔斯亲王”号和“抗拒”号两艘亦被日机击沉。这一偷袭的结果，正如邱吉尔所承认，无疑地是严重影响了同盟军在西南太平洋的战略计划和形势，使日本至少获得了西南太平洋上的制海权。

日本于奇袭珍珠港和新加坡之后，接着就陆续占领美属关岛（十二月十三日）和威克岛（同月二十四日）；进攻英属吉尔贝特岛（二十七日），截至一九四二年四月中旬，由威克岛到吉尔贝特群岛一线以西的太平洋制海权，似已完全落入日寇之手。

（二）菲律宾巴丹半岛之役

在奇袭珍珠港以后数小时，日军即开始进攻菲律宾群岛中的吕宋岛。在最初的一役中，因为美菲军总司令麦克阿瑟将军似已有相当准备，所以美方只损失停于马尼剌机场的飞机三十余架，而日方却被美方空军炸沉了主力舰“棒名”号一艘。但日军因数量上占绝大优势，终于十二月十日登陆成功，并迅速调集大量兵力，向马尼剌进攻。马尼剌亦于一月二日失陷。美菲军全师退守巴丹半岛及科里几多岛要塞。

美菲联军在麦克阿瑟指挥之下坚守巴丹半岛至四个多月之久，创造了太平洋战争第一阶段中唯一光荣的一页。美菲军共只三万六千人，又无空军海军的拥护，然而面对着数倍优势的敌军——约五个师团，计十余万人，竟能坚守得那么长久，直到四月一日，在日寇占领新加坡的一个半月与占领荷印的二十多天以后，因为日寇调集大批援军，发动了对巴丹半岛的总攻，巴丹才于四月九日沦陷。接着是日寇围攻科里几多岛要塞，美军又守了将近一个月之久，于一九四二年五月七日才停止抵抗。菲律宾的包围战就这样光辉地结束了。它是太平洋战争第一阶段中支持得最长久的一次战役。它为美军在南太平洋外围据点上的增防，争得了几个月宝贵的时间，而对于美国军民斗志的激励，它也尽了很大的作用。

（三）香港之役

一九四一年十二月八日（较日寇奇袭珍珠港稍迟数

小时，在西半球就是七日）清晨八时，日寇机群首先袭击九龙机场，随后即以陆军向九龙边界元朗进攻。当时香港和九龙的居民，对于这一晴天霹雳完全是出乎意料之外的。绝大多数居民都以为那时的警报是防空演习。香港当局虽在事变以前并非全无准备：它曾在事变前一个月内派遣了几千（约五千人）英军、加拿大军和印度军到九龙新界去布防，曾经不断地举行过防空演习，可是事实上从事变发生的头几天的情形看来，这些准备也都等于不准备。事变发生之日，驻在边界的英加军和印度警察即被迫后撤，驻守大埔、荃湾一带。九日夜间，日军在荃湾、沙田两面登陆，狮子山（九龙半岛北部的屏障）以北的英加军因后路被截，全部投降。当日军进攻沙田、大埔时，我久困九龙的孤军五百二十四人，即自告奋勇，参加英方与敌展开激战。卒以众寡悬殊，全营壮烈牺牲。十月据守荃湾的加拿大军约二千人被敌军包围解决。这时英军已开始自九龙撤退。十一日，日军小部分先头部队业已突入九龙市区。是日，英军与警察全部撤出九龙，退至香港。香港要塞的保卫战，至是才算正式开始。

寇军进攻香港的头几天，因为数次企图强渡，均遭击退，牺牲不小，为想不战而屈香港，曾两度派代表渡海到香港向港督杨慕琦招降，均被港督严词拒绝。于是日军就昼夜不绝地炮击与飞机轰炸。至十七十八两日夜间开始在北角（香港市东端）和浅水湾（香港岛南面）相继登陆，其后又在铜锣湾附近登陆。二十二日浅水湾登陆日军，突破金马伦山，侵入香港市区，与铜锣湾登陆日军会师，港市被切成两段，曾发生相当激烈之巷战。港当局以军队愈战愈少，士兵疲劳不堪，而市民水电两告恐慌，自知颓局已无法挽回，于是被迫投降。这是一九四一年耶诞节下午四时的事。

（四）马来亚之役

在马来亚半岛和新加坡日军进攻的两天前（十二月六日），英侦察机已发现日舰队越过柬埔寨西南角，向西北开驶。八日拂晓，日军在舰队与飞机掩护下，果然在马来亚和泰国边境的沙巴克登陆。因登陆敌人约有两师团之众，英方守军实力单薄，众寡悬殊，只好一面抵抗，一面退却。当时英国东方舰队，即由开到远东不久的主力舰“威尔斯亲王”号和“抗拒”号领导，北驶与日舰队作战。但不幸两主力舰均在离新加坡不远的海面上被敌机炸沉，从此西南太平洋的制海权乃陷入敌人之手。

英军在马来亚东海岸的防御力量本来相当坚强，但日军攻马来亚的主力部队却不止在这一面，日军与泰国事前早有默契。当战争爆发之日，日泰即宣布成立协定，泰国准许日军通过其国境，向马来亚西北边境侵入，同时日军又在泰国西南海岸登陆，迅速越过克拉地峡，进攻马来亚西海岸。日军这一着显然抓住了英军防御上的弱点，它沿两海岸及铁路线，推进甚速。于十二月十九日占领马来亚要港槟榔屿，二十九日占领怡保；一月十一日马来亚重镇吉隆坡亦告失陷。倭军仍继续南进，于十四日晚攻入麻六甲边境，同时猛攻金马士，当时英方因有澳军增援部队加入作战，支持了十余天始告失陷。至一月二十九日日军已直迫柔佛，卅日英军全部自柔佛撤出，退入新加坡，马来亚之战役，至此遂告结束。前后共计守卫了五十四天。

（五）新加坡的保卫战

马来半岛既陷敌手，新加坡保卫战即行开始。二月一日至七日这一周间，日寇炮兵与空军猛烈轰击新加坡英军阵地与防御工事。七日在柔佛海峡东端佯作强渡，将英军主要的守卫力吸引到这方面来；翌日却运其主力在新加坡西海岸登陆；两天后，即进据岛中央高地，控制市区及全岛。此时倭军登陆部队已达三师团以上。敌空军又不断轰炸，新山敌炮亦竟日猛击。英方守军则一再被迫后撤；新加坡市郊曾发生极猛烈之炮战和肉搏，双方损失均极惨重。最后英方以大势已去，乃于一月十三日下午五时宣布投降，英军被缴械者七万余人。在新加坡保卫战进行中，我华侨义勇队伍，亦曾积极参加战斗与其他军事行动。故寇军占领市区之后，对我侨胞残暴惨杀，超过其他任何地方。

（六）荷印之役

当马来亚战事正在顺利推进的时候，日寇即在开始进攻婆罗洲。婆州之战不过是日寇进攻荷印的一个前奏而已。十二月十六日日寇即在北婆罗洲登陆。一月十三日，日寇首次侵入荷印的领域，占领婆罗洲东北的塔拉干岛。二十四日美荷海空军曾与日护航舰队在婆罗洲与西里伯斯岛之间的马加撒海峡，发生太平洋战争初期的第一次大海战。这一役中，日舰队颇有损失，但美国舰队与荷印海军，也毁损过半。西里伯斯岛南端的马加撒，终于二月十日被占领。日寇已深入荷印的领海了。

荷印之战事实上也是在日寇包围之中进行的。早在十二月二十七日，日寇一部分海军已自国联委任统治群岛出动，占领南太平洋上的英属吉贝尔特岛，企图阻断美军向荷印增援。一九四二年一月二十三日日军在荷印东面的俾斯麦群岛登陆。次日，它又在澳属新不列颠岛上的拉布尔登陆；同日，又在新几内亚登陆。二月二十日，日寇复侵入了爪哇东面的葡属帝汶岛和荷印的峇厘岛。在另一方面，在占领新加坡的同时，它又占领了爪哇西面的苏门答腊的石油产地巨港。这样就完成了对荷印的包围。

二月底，美荷舰队在爪哇海面与优势的日本舰队再经过一次剧烈的海战。不多的美荷舰队，大部分作了壮烈牺牲。至此，爪哇的命运，事实上已被决定了：二月二十八日，日寇即在爪哇登陆；三月六日占领了吧城，八日荷军的最后根据地万隆也告陷落。荷印之战，于此遂告结束。

（七）缅甸之役

在万隆失陷，荷印战役告终的同日，缅甸的首邑和主要港口仰光，也被日寇占领。先是一九四一年十二月十四日，日寇已发动侵缅，占领了缅甸极南端的维多利亚角。同盟国当即开始布置保卫缅甸的防务；我远征军亦于一九四二年元旦起，开始开入缅境。但敌人大规模的侵入缅甸却在吉隆坡陷落，马来亚战局大势已定的时候才发动的。

一月中旬，日军开始进攻缅甸西南部。是月二十三日占土瓦；三十一日占萨尔温江东岸重镇毛淡棉。二月六日萨尔温江英军的主要防线被突破。敌人渡江，十一日占马打万。英军首退比林河；苦战两周后，又退守西阳河。三月二日，仰光与瓦城的交通被截断；同时日军在仰光河登陆。仰光腹背受敌，英军被迫撤去。于是缅甸的首邑，滇缅路的门户——仰光——遂于三月八日陷入敌手。

三月十八日起，我入缅远征军开始与敌人接触。敌因屡次正面进攻不逞，乃用迂回战术，渗入东瓜西北。我防军被围达一星期，然经过沉着苦战之后，终于与我援军取得联络，于三月底安全退出东瓜，十二天恶战的结果，我歼灭敌人约三千七百，但我方损失则更为重大。后来有一部分我军退入印度。四月三十日滇缅公路的南端起点腊戌被日寇占领；五月初，缅北的密芝那又告失陷；于此，我最后的陆上国际孔道，全被封锁。同时，缅西的阿恰布亦相继陷落。缅甸之战，事实上也已告一段落。

至此，太平洋战争的第一阶段，可说已告结束。五月初的珊瑚海（澳洲东北）大海战和六月初中途岛附近的大海空战，是扭转第一阶段战略形势的两次重要战役。

二　第二阶段战争的发展

（一）战争第二阶段之开始

在战争的第一阶段中，日寇虽因自己处于内线主动作战的有利地位，和英美等同盟国准备不足，疏于防范，而获得了顺利的全面进展，把整个西南太平洋完全控制在自己掌握中，并且还深入到印度洋，打开了英帝国的“生命线”——印度的大门；可是它究竟实力短少，气魄狭小，加之在中国战场上已经消耗了四五年，有百万光景的兵力又被我国各战场牵制住不能够动，所以还在缅甸战争进行之中，日寇战略上的矛盾已经开始暴露出来了。

日寇在西南太平洋上的进攻战略，是要把它的主力依次集中于一个至两个战场，以便逐渐推进和扩展攻势的：进攻婆罗洲的日军，后来被移调去进攻荷印；进攻马来亚和新加坡的日军，后来被移调去夺取苏门答腊和进攻缅甸，然而日寇占领了荷印之后，本来可以迅速移师南下，进攻澳洲，但由于菲岛美军的强顽抵抗，经久坚守不屈，它不能不回师北上，对美菲军发动最后的总攻，这占去了它从三月底到五月初一个半月的宝贵时间。在缅战期间，日海军一大部分集中于孟加拉湾，从事掩护海上运输与准备进攻印度的工作，美国海空军却利用了这种机会源源开到新西兰和澳洲来布防，以巩固美澳间的运输线和澳洲的防御地位了。日寇的捉襟见肘，是再明显也没有的。

从奇袭珍珠港到一九四二年五月初日寇占领缅甸全境和菲岛美军放弃科里几多时止，是太平洋战争的第一阶段，也就是日寇的攻势阶段。在这一阶段中，日寇初步的战略计划可说差不多全部完成了：（一）猛烈打击和麻痹珍珠港美国太平洋舰队的大部分，借此以孤立菲岛、关岛、威克岛等而占领之；（二）以海陆空军主力进攻马来亚，占领新加坡，夺取盟军在西南太平洋的主要作战根据地，并控制通印度洋的大门；（三）以星洲和婆罗洲为跳板，巧取荷印，并由此威胁澳洲；（四）进攻缅甸，切断中国的国际接济路线。但就在这一阶段中，日寇的海空军力也已遭遇到相当重大的损失，它的海上战线已感到过于拉长；同时，美国的海空军力，则已不断地扩大，在中南太平洋巩固其外线的防御地位了。这样，从五月三日至八日珊瑚海之战开始，经过六月初旬的中途岛之战，到了八月八日美军发动对所罗门群岛的反攻，日寇在太平洋上的攻势已经完全被阻住，盟军已开始作争取主动和局部反攻的尝试了。太平洋战争的第二阶段，即美日相持的阶段，就此正式开始。

（二）珊瑚海、中途岛两役

五月初的珊瑚海大战是日寇企图越过所罗门群岛，南下占领澳洲东面的几个重要岛屿，切断美澳间的海上运输线，再进一步占领澳洲东部海岸，夺取这个美军在南太平洋的反攻根据地。但是正由于海上的战线拉得太长，日寇的进攻舰队为美国的海空军所截击，经过五天的战斗，它终于被迫而狼狈退回了。六月初旬日寇又来了一次类似的尝试，它组织了一个更强大的护航舰队，由它本部出动进攻太平洋中部美国海军的前哨据点中途岛，但也因为日舰队离开其根据地太远，它被美国海空军给了一个严重的打击，损失了三艘至四艘的航空母舰，以及其他各级军舰多艘。这是太平洋战争以来日本海军所受的第一次最严重的打击。经过了这一惨败，日寇在太平洋上已经不敢轻举妄动了。

从五六月初旬这两次大海战以后，太平洋上的战略形势改观了。最重要的是美国海空军在从夏威夷到澳军这一条海洋运输线上地位的增强。六月二十七日，华盛顿方面宣布美海军的第一批远征军，已在南太平洋的某出击根据地登陆，这里指的显是英法共管的新赫布里底群岛或法领新喀里多尼亚岛。事实上从六月到七月，美军在夏威夷到澳洲之间的重要战略岛屿上，均已依次登陆，造成了一个海空军坚强根据地的连锁。这一发展的结果，便是八月初美国对于日寇占领下的所罗门群岛的第一次出击。

（三）所罗门之役

八月八日开始的所罗门群岛之战，是美军在太平洋上第一次争取主动，发动反攻的战役。这虽不是一个主力的战略反攻，但对于以后整个太平洋战局形势的发展，却具有极其重大的战略上的意义。因为在七月下旬，日寇一面在新几内亚东北面海岸的哥纳和布纳登陆，另一面又从帝汶岛出动，占领了澳洲北面亚拉佛拉海中的阿卢和帝摩荣特等三小岛，其企图显然在于造成战略地位上的优势，逐步进取澳洲。不料美军采取了先发制人的攻势，从夺回所罗门群岛着手，削弱了日寇在攻澳准备中的战略地位。

从八月八日到十五日，美军与敌经过这一周的激战，终于夺回了所罗门群岛中的杜拉吉岛并在瓜达康纳尔岛登陆，建立巩固阵地。在十月十一日间，日寇在瓜岛屡次猛烈反扑，展开了几个月来不断的激烈海空战，但敌寇八次进攻，八次均被击退，损失颇重，计被击沉主力舰一艘，重巡洋舰三艘，轻巡洋舰二艘，驱逐舰五艘，运兵船八艘，运输舰四艘，此外被击重伤者有主力舰一艘，驱逐舰六艘。这些损失数字还仅指一九四二年十月十一日间的那几次争夺瓜岛的战役来说的。从一九四二年十二月到一九四三年二月初期间内发生的一些大小战役中所受的损失，还未计算在内。美国海军虽亦遭重大损失，但日舰队的损失毕竟还是超过了美舰队。所岛之战，一直延续到一九四三年二月初，日寇被迫自瓜达康纳尔岛撤退时，才算结束。结果是盟军胜利，日寇失败。那时，美国在中南太平洋上已经掌握了空中的绝对优势，日机已经无法抵抗美国空军的进攻。而日寇的舰队因为受了多次的重大打击，其所存留的主力舰队，亦即不敢轻易出动。至此，盟军在太平洋上已站在战略的主动地位，采取一步步推进，收复失岛，展开各个战线上的局部反攻消耗敌人，以准备下一阶段进行主力全面反攻的战略了。

（四）盟军逐步反攻之展开

假使说从一九四二年五六月珊瑚、中途两役起，太平洋战略形势开始转入了相持的局面，那么一九四三年这一年的形势基本上虽与去年五六月以来的局面无甚差别，但从这年的五六月起，盟军却加强和扩大了对自北至南的日寇占领地带的积极反攻，而且它的逐步推进，收复失岛，展开反攻，消耗敌人的战略，可以说是完全成功的。

一九四三年盟军在太平洋上的新攻势，是从五月初美军在北太平洋阿留申群岛中的极西一岛——阿图岛——登陆开始的。美军在阿图岛登陆后，作战仅十余天，阿图岛上的山崎部队被消灭，该岛即告完全夺回。由于阿图岛的投降，日寇在阿留申群岛中的另一重要据点——吉斯卡岛——事实上已失去了重大的战略价值，所以后来日寇就放弃了该岛。至此，北太平洋的控制权已完全落入美军之手。但是盟军更大规模的攻势是在六月卅日，在西南太平洋上展开的。

首先，美澳联军在空军和海军掩护之下，在所罗门群岛中的新乔治亚岛和伦多瓦岛登陆，这是盟军攻势的右翼。同时盟军左翼又在新几内亚东北部萨拉摩附近的纳索湾登陆；而在左右两翼之间则进占了特鲁布里安和乌德拉克两小岛。从新几内亚的纳索湾到所罗门群岛中的新乔治亚，从盟军的左翼到右翼，全长共达七〇〇哩，从攻势展开的范围看，这不是一个寻常的攻势。右翼进攻的第一目标是在新乔治亚的蒙达，左翼进攻的第一目标则在新几内亚的萨拉摩和穆播——雷区。右翼攻势是瓜岛之战的继续，左翼攻势是布纳·哥纳之战的继续。左右两翼进攻的总方向显然是指向新不列颠岛上的拉布尔——日本在西南太平洋上所窃据的海空军重要根据地之一。

麦克阿瑟将军自一九四三年六月以来的展开反攻，创造辉煌战果，主要地乃得力于空中攻势。本年六月十六日一天之内，盟机曾在西南太平洋上空击落了敌机一百二十架，这算是开战以来西南太平洋上击落敌机的最高纪录。可是十月十二日盟机轰炸拉布尔一役，却毁敌机一百七十七架，大大地打破了六月的纪录。是役并炸沉大小日轮一百二十一艘，内有驱逐舰三艘。他如在布纳和威瓦克上空的空战，寇机一次被击落四十六架，一次被击毁九十二架，又一次是毁坏了四十九架[1]。这样，西南太平洋上的制空权，已完全落入盟国之手。尤其是从八月以来，日本海军深居简出，力避战斗，几乎完全陷入被动地位；这样，从北太平洋到西南太平洋的制海权，大致亦已落入盟国掌握之中。自新乔治亚伦瓦多岛登陆以来，至八月五日占领了蒙达，九月十八日攻陷新几内亚的雷区，九月廿四日占领芬斯其哈芬港，十月九日占领科隆班加拉及维拉拉维拉岛。自十一月十九至廿五日，盟军完全占领了吉尔贝特群岛，日寇的守卫部队全军覆灭。十一月中，美军又在布肯维尔岛登陆，到十二月中旬尚在激战中；同时，美军复在新不列颠岛东部的阿拉威半岛登陆，并于旬日内掌握了整个半岛；十二月廿六日美海军陆战队乃在新不列颠西北岸之格劳斯特角两侧登陆，正展开自东西双方夹攻，拉布尔之敌，已经日益穷促。同时澳军在新几内亚洪安半岛亦大有进展，

[1] 均见渝报告十月十九日所载电讯。

这些，都在预示太平洋战争之转上新阶段。

三　太平洋战争的现阶段

（一）马绍尔群岛之役

马绍尔群岛自一九四三年十一月中旬起，美机就不断猛炸该岛东南端的密尔岛及查罗特岛。迨盟军占领吉尔贝特群岛，马绍尔群岛便成为直接攻击的目标了。入一九四四年，该群岛中的卡瓦加林岛、摩劳莱岛、罗伊岛、密尔岛、查罗特岛等地的设备，全被炸毁。二月一日，美军在马绍尔群岛登陆，占领群岛中的几个重要岛屿——罗伊岛、瓜加林岛及安尼威吐克岛。战事的规模相当宏大，美军的目标一面是攻占马绍尔群岛；一面应用纳尔逊的战略，迫使日海军出来迎战，二者的价值都十分重大。此举为太平洋战争划一新阶段——由消耗战演进至决战的阶段，使太平洋战局展开一新形势，即由外围防御战进入内线的心脏战的形势了。

马绍尔群岛是日寇“海上长城”的一段，这段之被突破，海上战争就要“登堂入室”了。战争的指标，首先对准土鲁克，然后斜向关岛和塞班，更北上威胁小笠原群岛。

现阶段的美军战略企图，一面是彻底完成指挥马绍尔群岛登陆战的“绝其根本听其枝叶自萎”（按：美海军中将普鲁恩语）战略，以完成切断日寇及其外围据点中顽强挣扎的军队运输线，并逐步向占领区深入，以围困深陷新不列颠、所罗门、新几内亚的十万日军。此外，则为进一步向突破日寇中南太平洋第一道防线作新的准备。美军此际在太平洋的海战形势，是在结束外围战作新攻势的准备，这是新形势的特点。

马绍尔群岛之被占领，在军事意义上说，它直接威胁着加罗林群岛与帛琉群岛；从海战交通线的价值说，也具有重大意义，美国从夏威夷到澳洲的最短交通线打通了，因而改善了美国在中太平洋的交通和阵地。马绍尔群岛的主要作用，是作为空军基地，它可成为迅速集中的空军据点。就构成群岛的若干环状珊瑚岛来说，它等于固定在海面上的许多航空母舰。再就作为海军根据地来说，群岛也具有相当大的意义，它虽不能停泊潜水艇及其他小型舰只，但可作为供应补给站的作用。同时它本身虽不能成为难以攻破的堡垒，但却可作为盟国海空军向西进攻及发动第一步攻势的前哨根据地。

这次美军之占领马绍尔群岛，可以证明美军力量的增长和握有主动权，使日寇的“东亚堡垒”添了缺口，并使盟军距离东京更进了一步。

（二）塞班之役

自美军占领马绍尔群岛后，太平洋战局显已发生了重大变化。在中太平洋，美军威力严重威胁着加罗林群岛、马利亚纳群岛，死亡的阴影从东到西向马利亚纳走近，塞班便处在被侧击的形势之下了。六月十五日，美军强大部队在战斗舰、巡洋舰与驱逐舰猛烈炮火掩护下登陆塞班。塞班是马利亚纳群岛十四岛中最大的一个，面积三百三十九方公里，它不仅是日寇中太平洋的“海上长城”最后堡垒之一，向太平洋中南两面发展的第一块墙脚石，并且是东京的大门。美军占领塞班，使它马上变为盟国对日寇进攻的据点，既可作为踏进东京的一块墙脚石，同时也拆穿了日寇从本土通到太平洋中南两面各岛屿的桥梁。

美军之在塞班登陆，越过土鲁克与加罗林，这是证明盟军采取了大规模越岛进攻的战略，就塞班的地位评价，获得如下这三大战略效果：

（1）占领塞班，“等于在向中国海岸及东京进攻的途中，跃进了一千浬”。美国舆论认为这是越岛与迂回战略的新例。塞班在安尼威吐克以西一千一百五十浬，美军越过岛屿，阔步飞跃，缩短这一千浬的战略价值，它把东京与中国海岸都纳入了飞行半径之内。塞班距东京一千四百浬，可以说是指向东京的一把长剑。塞班去中国海岸亦不过一千七百余浬，它可以缩短从中太平洋到中国的海程。

（2）塞班邻近关岛，为美国太平洋中央防线的一站，与马尼拉相距一五〇一浬，差不多位于同一纬度上。控制塞班岛，即控制关岛，这样，便形成了一路出新几内亚斜往西北，一路由塞班平直而西两路进攻菲律宾的阵势。

（3）塞班的被跃过，土鲁克的战略价值减少了，因“土鲁克在日本手里，它是日本从中太平洋径往菲律宾与中国海岸海路的屏障，是中国海岸赋有极多打击日寇各岛机会的海空根据地，它可以作为太平洋与亚洲大陆战场的连锁”（M. 威纳尔语）。此后，它便三面受敌，成为无用的据点了。

美军登陆塞班，划了对日战史的新时期，是日寇在太平洋“海上长城”从破坏到粉碎的起点，也是东京第一道大门被拆毁的象征。日本政论家德富丰翁说：“这次塞班登陆，既不是威吓性质，也非试探性质，乃是敌人希冀以全力得到轰炸我地的基地，进而攻占我本土。”

果然，美军塞班登陆之次日，其超级空中堡垒，即大举轰炸日本钢铁工业心脏地带的八幡，而东京、横滨及横须贺等都市与要塞，已成为盟军舰队进攻的目标了。同时菲律宾以东直径千浬的海面，其东南西北四方，如马利亚纳、帛琉、菲岛及日本本土的西南部各岛底广阔海面，虽都为设防的根据地，但却不能保持密切的联系，以阻盟军的攻势。无怪日寇广播公开自承：“这次海战，对太平洋战争将发生重大影响，战况已入严重而又严重的阶段了。”[1]

---

[1] 见六月二十日东京广播。

（三）西南太平洋盟军的攻势

随着美军在中太平洋的胜利，盟军在西南太平洋的攻势亦逐渐展开。年初，新几内亚澳军越过布里河，美陆空军联合进攻新不列颠的阿拉威，登陆新几内亚赛得尔港，与澳军会师，从而控制整个洪安半岛以及新几内亚一百五十浬的海岸。二月廿九日，美军在海军群岛登陆，有力的配合了中太平洋的进攻。同时在新几内亚北部日寇占领区的几个重要港口，如威瓦克，阿培普与荷兰蒂亚，广泛的大举轰炸，这给予日寇以严重的威胁。

接着盟军加紧进行肃清占领地区的工作，三月初，美海军陆战队在新不列颠搭拉海区登陆前进。三月十四日，在维隆米兹半岛增援登陆。在新爱尔兰，登陆俾斯麦群岛的圣马西亚斯群岛底埃米罗与厄慕萨两岛。在所罗门群岛的布肯维尔岛，展开了争夺战。

从海军群岛与埃米罗及厄慕萨之登陆看来，意义非常重大，这首先切断了远落在后面的所罗门、俾斯麦等群岛，新不列颠和新爱尔兰以及新几内亚寇军的补给线，所以南太平洋美海军总司令海尔赛将军说：

美军之占领埃米罗岛，已完成对南太平洋日方各根据地的包围。该岛乃俾斯麦海锁链的重要一环，且似刺向加罗林群岛的一枝戈矛。

四月中旬，英军从印度出动海军部队进入日寇控制下的海面（距新加坡不满七百浬的地方），顺利进攻苏门答腊以北的日海军基地沙班，这是远东新攻势中的第一声。《纽约时报》指出：“在广大远东战场之两方面，盟军均展开攻势，日本已感觉巨钳之刺痛；巨钳的会合，虽或尚需时日，但此种威力的会合，迟早必不可免。”

从四月下半月到五月底，美国海陆空军主要是进攻新不列颠群岛，其攻势中心目标是拉布尔，因拉布尔是土鲁克南面的屏藩；拉布尔一旦攻克，美军便可向北顺利推进。从战略上说，这是以土鲁克为中心的配合攻势。但自中太平洋形势推移，土鲁克的重要性因之大减。于是攻势的目标便转移到新几内亚了。

新几内亚为南太平洋第一大岛，分英属荷属两部：东部属英，西部属荷。四月下旬，美军占领了日寇重要据点荷兰蒂亚，底定了西南太平洋的大局。五月廿七日又在基尔文克湾的拜亚克岛登陆，这次战役，寇军消灭或丧失作战能力者达二十五万，盟军恢复了三十四万四千七百八十方哩，给日寇以非常严重的压力。

（四）印缅战局

一九四三年八月，东南亚盟军总部成立，并决定发动反攻缅甸，十月间，开始了斥堠活动，翌年春发动新攻势，这就是印缅边境的战事。

这次反攻缅甸，可分两部分叙述：

（1）缅北方面，中国远征军在一九四三年十月，重新开入缅境作战，战争是胡庯河谷区，随后渡郎布拉姆河。翌年一月初，肃清更的宛河与大龙河合流处的敌军，渡至东岸向东推进，三月初，攻克孟关。

（2）阿拉甘方面，英印军于一九四三年十二月曾夺取孟道（按：孟道距巴第砀十七哩，为纳夫河口的渔村），南下进薄阿恰布（按：阿恰布，一九四二年五月被日寇占领），英印军为要收复阿恰布，在马玉半岛曾与寇军纠缠数月。一九四四年初寇军扼守马玉山麓，并由巴第砀与孟道以南发动反攻。英印军一月十日占领孟道，乘势追击反攻的寇军，徐徐向南推进，准备收复阿恰布。

由于盟军在缅北与阿拉甘两方面的胜利，日寇便感觉战局严重。缅境寇军乃于三月廿二日在泰姆附近窜进了阿萨密的曼尼坡，把战争带进了印度。日寇显然企图借此侧击后方的击袭，来牵掣缅境盟军，以割开盟军间的联合作战。

曼尼坡是印度极东部的一个土邦，它的首府伊姆法尔是很重要的地方，盟军军事观察家的说法，如果日寇占领了这个地方，就可切断中美联军接济供应线，而中印空运也要受到威胁。伊姆法尔的重要性在此。

当日寇发动了曼尼坡之战，即倾全力猛犯伊姆法尔与科西马两战略要地，其主要企图在切断阿萨密—孟加拉公路，而最后目的则想攻到盟军缅北的补给基地雷多与阿拉甘前线后面的吉大港。

经过半个多月的战斗，由于英印军的努力，伊姆法尔的战事稳定下来。五月间，缅北中美联军分三路经孟拱河谷东部之库芒山脉，通过险峻地带，直冲伊洛瓦底江上之密支那，同时中国军队强渡怒江，与中美联军突如的在密支那机场出现，这一果敢的行动扭转了印缅战局。

六月上半月，盟军掌握了科西马全区，滇西中国军队攻入龙陵。十六日，中美联军攻占了加迈。加迈是日寇在缅北的重要基地之一，距孟拱廿五英哩，占领加迈，盟军就可直取孟拱，并切断密支那的后路。廿六日，中国军队攻下孟拱，美军占领密支那，形成了缅北滇西的两路会师，因此缅甸战局为之改观了。

就现阶段对日寇作战说，战局的中心是：缅北与滇西战场，在缅北与滇西两路会师之后，即可从密支那而南，通八莫，从八莫而东北，达中国国境，这样，便可实现中印公路计划。中国可从这条陆上通路，与空运作适当的配合，从而获得必要的物质了。一旦完成这条通路的交流，便形成中国战场与世界战场的一条动脉了。

四　太平洋战争的展望

目前太平洋战争的形势，较之一年半前，虽然基本上尚未发生质变，但是从一九四三年五六月以来，却无疑地已有了重大的变化。这种变化是朝着有利于盟国而不利于日本的方向在发展的。假如说从一九四二年五六月起，太平洋的战局是走进了相持的阶段，那么一九四三年尾的战局虽然基本上还未走完这一阶段，但是从北太平洋和尤其西南太平洋上盟军的步步推进，节节胜利的形势看来，在盟军方面讲，显然已处于由相持到主力反攻的过渡阶段，亦可以说是准备主力反攻的先行阶段。这一阶段的特征是在战略形势上盟军掌握主动，日军处于被动；盟军采取攻势，日军采取守势，在实力对比上说是盟军实力日趋增强，日寇军力日趋削弱。分别言之，在空军方面，盟方已占压倒的优势，敌方则量与质俱见衰落，在海军方面，盟方已获得部分的优势，敌方海军则日益暴露其捉襟见肘的窘态；在陆军方面，盟方的力量亦在增强中，敌方陆军在数量上虽有增无减，但士气已日趋消沉，战斗力已日就衰微，这都是显而易见的。

在这样的战略形势和双方实力对比关系之下，我们就不难展望今后的太平洋战局。

日寇现在的战争计划，是争取时间，继续采取战略的守势，并竭力保持并开发南洋占领区，努力使太平洋战争成为持久战。同盟国今后仍将在太平洋上继续展开其对各岛屿猎取的反攻，消耗敌方的实力，进一步削弱其战略地位，以与一九四四年欧洲方面摧毁希特勒的最后决战相配合，而发动太平洋各个战区的全面总反攻。

今后太平洋上击溃日寇的关键有两个：一个最主要的关键是在海上。观乎目前日寇海军的颓势，航运的艰难和海权的逐渐落入盟军之手，日后盟国自东南西北四方八面发动总反攻，日寇的溃败已属命中注定。另一个同样重要的关键则在大陆——在中国的战场上。中国的战场虽至最近为止尚未发动全面反攻，但是从开罗会议以来，同盟国已在积极布置反攻。这里面不但包括收复缅甸，进攻马来亚和新加坡，而且也包括加强援华，加强大陆反攻的全部军事计划。假如仅仅靠海洋上海空军的力量固然也不是不可能战胜日寇，却不可能根绝日寇侵略的祸根；因为它纵然在海上遭了败绩，如果在大陆上它还保存着百万以上的精锐陆军，它的侵略实力依然未被消灭。它的为害不只对于中国，亦同样足以威胁英美。今后同盟国只有以同样的注意力用于加强中国战场的反攻，并且从事实上用盟国集体的力量把日寇从中国大陆上赶出去，日寇的侵略祸源才能完全根绝。同盟国当前的最重大任务，是挫败日寇持久战的计划，首先使日寇在争取时间上遭受到失败。我们打击日寇的步调，是由击溃纳粹德国的步调来决定的。一九四四年六月六日，盟军在西欧开辟了第二战场，决定了希特勒的命运：诺曼第战争亦将决定日寇在太平洋的命运。就是说："德国在欧洲的命运与日本在东亚的命运相同。"希特勒早一天崩溃，日寇便会早一天灭亡。然而这其间的决定因素，还在战争的努力。欧洲的新局势，向远东提出了新任务。如果说同盟国在欧洲的新任务是联合攻势，消灭希特勒的武力；那么，在远东，中英美的新任务，就该联合加紧准备反攻的力量，消灭日寇的武力了。

第十二章　二十世纪太平洋的重要条约与宣言（由一九〇二年至一九四三年）

一　《英日同盟条约》（一九〇二年）

帝俄既占有东三省，日本视之为眼中钉；然欲抗俄，必须联合与俄对立最尖锐的英国以为助；英国亦与德国在欧州和近东有严重冲突，而在远东军事地位又形削弱，亦须觅致与国——日本以为助。在一九〇二年英日缔订了《同盟条约》，其主要内容如下：

（1）两缔约国相互承认中韩两国的独立，若因他国侵略行为或中韩两国自起纷扰，致妨碍缔约国的利益时，两缔约国得执行必要手段。

（2）两缔约国之一方，若与他国交战，他一方之缔约国应严守中立，并阻止第三国与敌国同盟。

（3）若他国与敌国同盟，与两缔约国之一方交战时，则他一方之缔约国，即当出兵援助。

（4）两缔约国的任何一方，若不与他一方协议，不得与第三国缔结妨碍同盟国利益之条约。

二　日俄《朴资茅斯条约》（一九〇五年）

日俄在东三省与朝鲜的仇视，种下了一九〇四——〇五年的祸根；双方乃祈于战争。战争既发，日本以得英国之助，先后大败俄国海陆军，并歼灭其波罗的海舰队。旋由美国出任调停，双方互派代表会议于朴资茅斯，签订《朴资茅斯条约》，主要条款如下：

（1）俄国承认日本在朝鲜有政治上，军事上，经济上的特殊利益与保护监督之权。

（2）辽东半岛租借区外之满洲地区，交还中国，两国并同时撤兵。

（3）俄国允将旅顺大连租借权，及长春至旅顺的铁路与该铁路所属之支线暨一切附属权益及财产，无条件让与日本。

（4）俄国允割库页岛之南部与日本。

三　二十一条件（一九一五年）

日本强盗利用欧战的时机，先对德国宣战，占领中国胶州湾，青岛及胶济铁路全线与附近矿区。一九一五年向袁世凯政府提出二十一条件，内容分五部分，最主要者为：

（1）第一号第一款：中国政府允诺日后日本政府拟向德国政府协定，所有德国关于山东省依条约或其他关系对中国政府享有一切权利利益，让与等项处分之概行承认。第二款：中国政府允诺凡山东省内并其沿海一带之土地及各岛屿，无论何项名目，概不让与或租借与他国。

（2）第二号第二款：日本人民在南满洲及东部内蒙古，为改造工商业应用之房厂或耕作，认可其需要土地的租借或所有权。第六款：中国政府允诺：如中国在南满洲及东部蒙古，聘用政治、财政、军事各顾问教官，必须先同日本政府商议。第七款：中国政府允将吉长铁路管理经营事宜委任日本国政府，其年限自本约画押之日起，以九十九年为限。

（3）第三号第一款：两缔约国互相协定，使将来相当机会，将汉冶萍公司作为两国合办事业，并允诺如未经日本政府同意，所有属于该公司一切权利产业，中国政府不得自行处分，亦不得使该公司自行处分。

（4）第四号：中国政府允许所有中国沿岸港湾岛屿，概不让与或租借与他国。

（5）第五号第一款：在中国中央政府内须聘用有力的日本人充为军事、财政、政治等项顾问。第三款：向来中日两国屡起警察案件，以致酿成纠葛不少，因此，须将必要地方之警察，作为中日合办，或在此等地方之警察官署，须聘用多数日本人，以资筹划改良中国警察机关。第四款：向日本采办一定数量之日械（为中国所需要的军械之半数以上）或在中国设立中日合办之军械厂，须聘用日本技师，并购置日本材料。

四 《九国公约》（一九二二年）

一九二一年，美国邀请英、法、日、意、中、比、荷、葡等国，举行华盛顿会议。一九二二年签订《九国公约》，规定中国领土完整与主权独立。公约全文共九条，其中最重要的两条如下：

一、缔约国除中国外约定：

（1）尊重中国主权独立，及领土与行政之完整。

（2）予中国以完整无碍之机会，发展并维持一有力而巩固之政府。

（3）施用各国的权力，以期切实设立并维持各国在中国全境之商务与实业“机会均等”之原则。

（4）不得利用中国情状，乘机营谋特别权利，而减少友邦人民之权利，并不得奖励有害友邦安全之举动。

二、缔约国约定不得相互间，或单独或会同与他国缔结足以违反或妨害第一条所述原则之任何条约、协定、合同及了解。

五 《华盛顿海军公约》（一九二二年）

美国在华盛顿会议上提出关于限制军备问题的议案，不只主力舰的限制，其中尚包括潜水艇的限制与补助舰的限制。美国提出主要强国主力舰的比例为：英五、美五、日三、法意各一点七五；上述五国，表示同意后，就订立《五强海军条约》，其主要条文为：

（1）各缔约国的主力舰之总吨位，不得超过标准排水量，美国为五二五〇〇〇吨；英国为五二〇〇〇〇吨，法国为一七五〇〇〇吨，意大利为一七五〇〇〇吨；日本为三一五〇〇〇吨。

（2）各缔约国之主力舰，不得载十六吋径以上之大炮。

（3）各缔约国拥有飞机母舰的吨数，与主力舰的比例同。

六　华盛顿《四国公约》（一九二一年）

中国问题是太平洋问题的中心。美国在取得太平洋霸权时，第一步要打破英日同盟。因之订立英、美、法、日《四国公约》（亦称《太平洋条约》），主要内容是：

（1）缔约国彼此尊重各该国在太平洋中的领属及委任统治地的权利。

（2）取消一九〇二年七月在伦敦所缔结之英日同盟。

（3）如缔约国间发生争议，应由外交途径或四国协议解决之。

（4）此项权利如受缔约国以外国家的侵略或威胁时，缔约国应采取共同或单独的有效方法应付之。

七 《伦敦海军公约》（一九三〇年）

英、美、法、日、意五国为限制海军军备，于一九三〇年在伦敦开讨论裁减海军大会；会议刚开幕，冲突亦因之开始。公约主要内容如下：

（1）主力舰代换年代，由《华盛顿海军条约》规定的一九三一年延长到一九三六年，但法意两国仍得在一九二七年及一九二九年开始建造代舰。

（2）补助舰的总吨数，英国是五四一七〇〇吨；美国是五二六二二〇吨：日本是三六七〇五〇吨。

（3）本约有效时间至一九三六年底止，但得于一九三五年召集缔约国会议，讨论缔结新约事宜。

八 《德意日军事协定》(一九四〇年)

一九四〇年，德意日轴心为共同对付民主国，扩大侵略范围，缔结三国军事协定，九月二十七日在柏林签字，重要条款如下：

（1）日本承认并尊重德意在建立“欧洲新秩序”中之领导地位。

（2）德意承认并尊重日本建立“大东亚新秩序”中之领导地位。

（3）德意日同意按照上述两条之规定，彼此合作；三国并保证签字国之一，苟被目前尚未参加欧战或中日“争端”之国家所攻击时，彼此用政治、经济与军事上之各种方法，互相协助。

（4）德意日三国言明上述各条，对于三签字国任何一国与苏联间现存之政治地位，并不发生任何之影响。

九 《苏日中立条约》(一九四一年)

一九四一年，在第二次世界大战继续扩大，更有许多国家可能卷入战争漩涡的时期，苏联为了和平的利益，要求与邻邦维持和平政策。日本在张鼓峰，诺门坎两次战役碰壁之后，它不敢多存进攻苏联的妄想，于是它提议与苏联缔结中立条约。四月十三日签订了《苏日中立条约》，条文如下：

（1）缔约国双方保证维持相互间的和平与友好邦交，互相尊重对于领土完整神圣不可侵犯性。

（2）倘缔约国之一方，成为一国或数国第三国敌对行为之对象时，则缔约国之他方，在冲突期间，即应始终遵守中立。

（3）现行条约自缔约国双方批准之日起，有效期间限定为五年，在未满之前一年，若缔约国双方均未宣告废除本约，则有效期限即自动延长五年。

此外，苏日双方还同时发表一共同宣言。宣言中说：

> 遵照苏日两方一九四一年四月十三日缔结之《中立条约》精神，苏日双方政府保证两国和平与友好邦交起见，兹特郑重宣言，苏联誓当尊重“满洲国”之领土完整，与神圣不可侵

犯性；日本誓当尊重“蒙古人民共和国”之领土完整与神圣不可侵犯性。

十 《联合国宣言》（一九四二年）

一九四二年，反轴心的联合国家，彼此为保证充分的利用资源；不单独对敌停战或议和，及表示共同作战目的，中、美、英、苏、荷等二十六国，于一月一日签订“共同宣言”，全文如下：

本宣言签字国政府，对于一九四一年八月十四日美国总统与英国首相共同宣言（即《大西洋宣言》）所包含之共同目的与原则，业经予以赞同。并相信为寻求适当生活，自主独立与宗教自由，及保全其本国及其他各国之权利与正义起见，完全战胜轴心国家，实有必要。同时相信：签字各国，正对企图征服世界之野蛮与兽性的武力，从事共同奋斗，爰特宣言：

（一）每一政府承允对于与之处于战争状

态之三国同盟分子国家及其加入国家，使用其全部军事与经济资源；

（二）每一政府承允与本宣言签字国政府合作，并不与敌国缔结单独停战协定或和约。凡正在或将作物质援助与贡献，以谋战胜希特勒主义之其他国家，均可加入上述宣言。

十一 《四国联合宣言》（一九四三年）

联合国——中、美、英、苏为着加强团结，迅速击溃法西斯轴心，缩短战争，与确立战后合作基础，爰基于莫斯科的外交会议，在十月三十日签订了共同宣言。这个宣言是《联合国宣言》的重要发展。全文如下：

美、英、苏、中政府根据一九四二年元旦之《联合国宣言》及其后各项宣言，所共同决定各向其现与作战之轴心国家进行战争，直至此种国家在无条件投降下屈服为止之决心，且鉴于为其本身与为其与国对于侵略之威胁，谋得解放所负之责任，并鉴于战争至和平，其演变必须迅速而有秩序，且为建立维护国际和平及安全，俾全世界人类及资源用于武装方面者，可达最低限度起见，爰特联合宣言：

（一）彼等为进行与其各个敌人作战而约定之共同行动，将使之继续以致力于组织及维护和平与安全；

（二）彼等之中，凡与一共同敌人作战者，对于所有有关该敌人之投降及解除武装之事项，均将采取共同行动；

（三）彼等对于敌人违背投降条件之行为，将采取一切必要之措施；

（四）彼等承认有于最早可能实现之日期，成立一普遍的国际组织之必要，以各爱好和平国家主权平等之原则为根据；此种国家无论大小均可为会员，以维持国际和平与安全；

（五）在重新恢复法律秩序与成立普遍安全制度之前，为维持国际和平与安全起见，彼等得随时会商，并于必要时与其他联合国家商议，以代表国际社会，采取共同行动；

（六）彼等在战争终止之后，除非为实现此宣言之目的，并经共同会商后，不得在他国土地上使用武力；

（七）彼等将共同并与其他联合国家磋商及合作，俾能对于战后军备之规定，获得一实际可能之普遍的协定。

十二 《开罗公报》（一九四三年）

一九四三年，中、英、美三国决心进行长期战争，十一月二十八日在开罗举行会议，发表《开罗公报》重申“四国联合宣言”的第一条，这给日本强盗一重大打击。公报全文如下：

三国军事方面人员关于今后对日作战计划，已获得一致意见。我三大盟国决心以不松弛之压力，从海陆空各方面加诸残暴之敌人，此项压力已在增长之中。我三大盟国此次进行战争之目的，在于制止及惩罚日本之侵略，三国决不为自己图利，亦无拓展领土之意思。三国之宗旨，在剥夺日本自从一九一四年第一次世界大战开始后之太平洋上所夺得或占领之一切岛屿；在使日本所窃取于中国之领土，例如东北四省、台湾、澎湖群岛等，归还中华民国；其他日本以武力或贪欲所攫取之土地，亦务须将日本驱逐出境。我三大盟国稔知朝鲜人民所受之奴隶待遇，决定在相当时期，使朝鲜自由与独立。根据以上所认定之各项目标，并与其他对日作战之联合国目标相一致，我三大盟国将坚忍进行其重大而长期之战争，以获得日本之无条件投降。

附录　太平洋大事年表

（由一五一〇年至一九四三年）

一五一〇年	葡萄牙人略取麻六甲。
一五一二年	葡人发现摩鹿加群岛。
一五一三年	麦哲伦上书西班牙王愿为西国占领香料群岛。
一五一九年	麦哲伦发现太平洋，西班牙征服墨西哥。
一五六五年	西班牙征服菲律宾。
一五九五年	荷兰占领爪哇。
一六〇〇年	英国东印度公司成立。
一六〇二年	荷兰联合东印度公司成立。
一六一五年	英人击溃西班牙舰队。
一六一九年	荷兰人在爪哇巴达维亚建立根据地。
一六二二年	英人联合阿巴斯驱逐葡萄牙人于奥尔莫塞岛。
一六二四年	荷兰人占领台湾。

一六四一年	荷兰人夺取麻六甲。
一六五二年	荷兰人占领开普殖民地。
一六五二——五四年	第一次英荷战争。
一六六五——六七年	第二次英荷战争。
一六七二——七四年	第三次英荷战争。
一七六三年	英国获得加拿大全土。
一七七八年	暹罗华侨郑昭大破缅军。
一七八八年	英人占领澳洲。
一八一一——一六年	英国占南洋荷兰属地。
一八一六年	阿根廷宣告独立。
一八一八年	智利建立共和国。
一八二一年	哥斯达黎加与危地马拉脱离西班牙宣告独立。
一八二五年	英国在新西兰置殖民地总督。
一八二五——三〇年	爪哇革命者尼戈罗领导人民起义反对荷兰统治。
一八三〇年	厄瓜多尔宣告独立。
一八四〇年	中英鸦片战争。

一八五五年	英国和暹罗缔结不平等的《友好及贸易条约》。
一八五八年	英国东印度公司停办。
一八六一——九六年	菲律宾民族运动领袖黎撒领导菲岛人民革命。
一八六二年	越南与法国缔结条约，割让交趾支那六州与法国。
一八六三	法国与柬埔寨缔结条约。
一八六三——九七年	菲律宾民族运动领袖波尼法器推动革命运动时代。
一八六七年	法国占领交趾支那西部各省。
一八七二年	菲律宾甲米地发生起义。
一八七四年	中国在台湾设置总督。
一八七三——一九〇三年	列强征服苏门答腊，亚齐的战争时代。
一八八三年	法国派遣远征军到越南东京。
一八八四——八五年	中法战争。
一八八五年	中法缔结《天津条约》，承认越南为法国保护国。 英国占领上缅甸。
一八八六年	法国压迫中国承认缅甸为“独立邦”。
一八八七年	安南、东京、柬埔寨、交趾支那合组印度支那联邦。
一八八九年	美国发起泛美运动，在华盛顿成立“泛美联合会”。

一八九〇年	荷兰皇家煤油公司成立。
一八九二年	黎撒组织“菲律宾同盟”。
一八九二年	波尼法器组织“同盟会”。
一八九三年	老挝被合并于印度支那。
一八九四——九五年	中日战争，缔结《马关条约》，台湾被割。 台湾同胞建立民主国。
一八九六年	英法缔结《湄南协定》。
一八九六年	菲律宾解放战争开始。
一八九七年	菲律宾阿干那多政府与李维拉成立密约。
一八九八年	美西战争告终，菲岛被转让与美国。菲律宾宣布独立。 日本强迫中国承认福建及沿海一带不得租借或割让与他国。 法国夺取我广州湾。
一八九九年	美国对列强提出“门户开放”原则。
一九〇一年	马尼拉成立第一个职工会。 澳洲各殖民地改称为洲，合组澳洲联邦。
一九〇二年	美国国会通过“菲律宾法案”，英日缔结同盟。
一九〇三年	越南革命领袖潘是汉组织国民党。 巴拿马在美国“奥援”之下独立。
一九〇四——〇五年	日俄战争，缔结《朴资茅斯条约》。 英法为瓜分暹罗势力范围增补协定。 爪哇农民领袖赛民号召反抗殖民者，发动起义。
一九〇六年	朝鲜人民创立“大韩独立协会”。

一九〇八年	爪哇成立第一个全国教育组织——良鹄社。 越南农民发动“短发运动”。
一九一〇年	日本吞并朝鲜。 越南革命者戴当发动反法斗争。
一九一三年	日本提出“黄种人联合起来打倒白种人的口号”。
一九一四年	爪哇社会民主联合会成立。
一九一五年	越南革命者梁文干在东京秘密组织武装起义。 日本向中国提出“二十一条”。
一九一六年	“回教同盟”在万隆举行全国代表大会。 苏门答腊占碑农民暴动。 美国通过《琼斯法案》，扩大菲律宾自治权，形式上准许独立。
一九一七年	东京发生暴动。
一九一九年	中国“五四运动”发生。
一九一九年	美国丹尔撒斯黑人举行反抗白种的民族运动。 菲律宾国会通过“目的宣言”。 朝鲜发生“三一”大革命运动。
一九二一年	美英日三国举行华盛顿会议。
一九二二年	荷属东印度人民向荷兰政府要求高度自治运动。
一九二六年	越南革命者潘佩珠等在巴黎组织越南民族独立党。
一九二九——三〇年	菲律宾人民发表独立代表大会宣言。 越南各党派成立“革命同盟会”。
一九二九——三〇年	朝鲜各地发生罢工罢课示威运动。

一九三一年	日本发动“九·一八事变”。
一九三四年	越南各党派成立“东洋大会”。 美国国会通过《达丁斯修正法案》，承认菲岛人民设立自治政府。
一九三五年	菲律宾两院通过新宪法，奎松当选为大总统。
一九三七年	日本掀起芦沟桥战争。 “八·一三”中国开始全面抗战。 中苏签订《互不侵犯条约》。 德意日“反共公约”在罗马签字。
一九三八年	韩国革命党八十余人来华参加抗战。 日军进犯苏联边境张鼓峰，败北向苏屈膝，订立停战协定。
一九三九年	日军占领我海南岛。 苏日成立“渔业协定”。
一九四〇年	日进军越南。 越南各党派成立“越南民族解放运动委员会”。
一九四一年	苏日缔结《中立条约》。 太平洋战争发生。 日泰成立协定。
一九四二年	二十六联合国发表宣言。
一九四三年	英美举行魁北克会议。 越南人民组成临时军政府，颁布“民族运动纲领”。 东南亚洲盟军总部成立。 英、美、苏举行莫斯科会议，发表中、英、美、苏《四国宣言》。 中、英、美举行开罗会议，发表《开罗公报》。

一九四四年　　美军在马绍尔群岛登陆，为太平洋战争划一新阶段。
美军登陆塞班。
罗斯福总统签署菲律宾独立日期提早法案。
朝鲜在华各政党实现民主团结。

三联经典文库第二辑简目

《游击战教程》　明凡／著

《游击战术纲要》　陶剑青／编著

《汪精卫卖国的理论与实践》　钱俊瑞／著

《抗战以来》　韬奋／著

《陕行纪实》　楚云／著

《随军散记》　沙汀／著

《被日寇囚系半载记》　王研石／著

《倭营历险记》　房沧浪／著

《活跃的新西北》　田影／编著

《保卫华北的游击战》　刘清扬　陈北鸥等／著

《徐州突围》　《徐州突围》编委会／编

《沦亡的平津》　长江　小方等／著

《淞沪火线上》　胡兰畦等／著

《瞻回东战场》　长江　罗平／著

《东线的撤退》　胡兰畦等／著

《抗战中的西北》　徐盈／著

《鲁闽风云》　徐盈等／著

《西线生活》　西北战地服务团集体创作

《中国解放区见闻》　［美］福尔曼著 / 朱进译

《全面抗战论》　潘汉年 / 著

《日本的间谍》　范士白自述 / 尊闻译

《日本大陆政策的真面目》　国难资料编辑社 / 编

《民众动员论》　李公朴 / 著

《中国外交史》　钱亦石 / 编著

《太平洋军事地理》　蒋震华 / 著

《世界经济地理讲话》　思慕 / 著

《列强军力论》　［德］马克斯 · 威纳尔著 / 宾符　仲持　梅益等译

《近代国际关系史》　张铁生 / 著

《太平洋现势手册》　沈志远　石啸冲 / 编著

《近代世界政治史》　钱亦石 / 著

《从战争到和平——一九四五年的世界政治》　乔木 / 著

《战后日本问题》　思慕 / 著

《最近一年间的国际动态（1946.7–1947.6）》　《东北日报》社 / 编

《论政党》　翟放 / 著

《法与宪法》　韩幽桐 / 编著

《中华民国宪法刍议》　罗家衡 / 著

《民主 · 宪法 · 人权——作之民》　费孝通 / 著

《宪法论初步》　潘念之 / 著

《对反民主的抗争》　韬奋 / 著

《农村改进的理论与实际》　江恒源 / 著

《上海产业与上海职工》(上下)　　朱邦兴　胡林阁　徐声 / 合编

《陶行知教育论文选辑》　　陶行知著 / 方与严编

《中国通货膨胀论》　　杨培新 / 著

《中国及其未完成的革命》　　H·普拉特著 / 蒋天佐译

《中国的建设问题与人的训练》　　卢作孚 / 著

《论中国特殊性及其他》　　艾思奇 / 著

《中国经济问题讲话》　　钱俊瑞　徐雪寒　王渔邨　姜君辰　骆耕漠 / 合著

《中国经济的道路》　　许涤新 / 著

《中国财政之病态及其批判》　　孙怀仁 / 著

《官僚资本论》　　许涤新 / 著

《五四运动之史的评价》　　陈端志 / 著

《中国通史简编》(上下)　　中国历史研究会　范文澜 / 主编

《论文学的工农兵方向——读〈在延安文艺座谈会上的讲话〉》　雪苇 / 著

《中国近代史(上编　第一分册)》　　武波 / 编著

《文学百题》　　傅东华 / 编

《中国史学之进化》　　周谷城 / 著

《论民族形式问题》　　胡风 / 著

《论批评》　　荃麟等 / 著

《中国史纲》(第一卷上下、第二卷上下)　　翦伯赞 / 著

《近代中国思想学说史》(1–4)　　侯外庐 / 著

《中国政治思想史》（上下）　吕振羽 / 著

《中国哲学史纲要》　向林冰 / 著

《中国政治史讲话》　钱亦石 / 著

《中国社会经济史纲》　王渔邨 / 著

《新财政学大纲》　千家驹 / 著

《太平天国革命运动论文集——金田起义百周年纪念》

华北大学历史研究室 / 编

《理性与自由——文化思想批评论文集》　胡绳 / 著

《战斗者的诗人》　黄药眠 / 著

《国语文法》　曹朴 / 著

《教育哲学》　张栗原 / 著

《妇女问题讲话》　杜君慧 / 著

《婚姻 · 子女 · 继承》　沙千里 / 著

《性教育新论》　布士克　雅各生合著 / 董秋斯译

《狱中杂感》　杜重远 / 著

《七人之狱》　沙千里 / 著

《爱迪生传》　伍况甫 / 译

《歌德自传》（上下）　歌德著 / 思慕译

《尼赫鲁自传》　［印度］尼赫鲁著 / 毕来译

《列宁传》　［苏］凯尔任采夫著 / 企程　朔望译

《罗斯福总统传》　C. Mackenzie 著 / 张尚之译

《托尔斯泰传》（1–3）　［英］阿尔麦 · 莫德著 / 徐迟译

《革命文豪高尔基》　［美］亚历山大·康恩著／韬奋编译

《鲁迅纪念特辑》　新中国文艺社／编

《回忆鲁迅先生》　萧红／著

《人民文豪鲁迅》　平心／著

《亡友鲁迅印象记》　许寿裳／著

《鲁迅思想研究》　何干之／著

《鲁迅研究》　夏征农／编

《过来的时代：鲁迅论及其他》　雪峰／著

《电影戏剧表演术》　洪深／著

《日常心理漫谈》　［美］约瑟夫·查斯特罗著／曾宝菡译

《心理常识漫话》　朱智贤　杨云美／著

《读书的方法与经验》　王任叔／著

《美国黑人生活纪实》　［美］加德维尔　斯坦倍克著／董秋斯译

《初访美国》　费孝通／著

《事业与成功》　［美］马尔腾著／汪原放译

《萍踪寄语（初集）》　韬奋／著

《一生的幸福前途——〈生活周刊〉信箱选集》　生活书店／编选

《深刻的印象》　生活周刊社／编

《海外的感受》　生活书店编译所／编